変見自在

安倍晋三を葬ったのは誰か

髙山正之

新潮社

はじめに

米近代史家ジョン・ダワーの著作『敗北を抱きしめて』には日本軍の素行について「占領地で略奪し、女を襲い、赤ん坊を放り上げては笑いながら銃剣で刺していた」とか信じがたい話が幾つも書き連ねられている。

それはみな聞いたことがある。第1次大戦さなか、ベルギーを占領した独軍は民家まで襲い暴虐の限りを尽くした。将来の抵抗勢力になる子供たちは銃が持てないよう、その手首を切り落とされた。産院も襲われ、看護婦は犯され、保育器の赤ん坊は放り上げて銃剣で刺した。「日本軍の蛮行」と全く同じ話だ。

米市民はその蛮行に怒り、ウッドロー・ウイルソンは参戦を決め、大戦は決着した。

戦後、米資産家が手首のない子供たちを引き取ろうと探したが、見つからなかった。

そうした「戦時下の報道を検証したら犯された看護婦も殺された赤ん坊もいなかった」(アーサー・ポンソンビー『戦時の嘘』)。

嘘の後ろには実は米広報委員会（ＣＰＩ）が存在したことも分かってきた。ＣＰＩはウィルソンが創った組織で、米国務長官、陸海軍長官と新聞界代表の４人で構成された。独軍の残虐さを新聞報道や映画、ラジオ番組などで拡散し米世論を参戦に向かわせる役割で、それはまんまと成功した。

それと同じ残虐話が日本軍についても語られた。ただ不思議なのは戦時下ではなく、戦後、東京裁判史観がＧＨＱによって推し進められるのと歩調を合わせるように後追いで語られ出した。

関東学院大の林博史は「マレーで日本軍が赤ん坊を放り上げて刺した」。早大の後藤乾一は「日本軍がスマトラの村民３０００人を底なしの穴に突き落とした」。藤原彰一橋大教授は日本軍の煙幕を毒ガスと言った。いずれもポンソンビーに頼らずとも嘘とバレた話だが、ダワーの見方は違った。

彼は「日本軍の残虐行為は検証の必要もないほど明らかな事実だ」と断定し、日本人は野獣より残忍なのだと主張する。

ダワーは同じ調子で「南京大虐殺」も「マニラ10万人大虐殺」も事実だと言い切る。

この当時はまだ存命する南京戦の関係者から話も聞いていない。マニラ大虐殺はもっとふざけている。マニラ決戦を前に日本軍はサントトーマス大に抑留していた３８００人の欧米民間人を米軍側に引き渡した。彼らが戦火に巻き込まれないようにという人道措置だった。その証言も映像も残っている。

しかし米軍はその翌日、つまりマニラ市街がフィリピン人と日本軍だけになった途端、数千トンの砲爆撃をマニラ市に食らわせ、街は廃墟と化し、多くの市民が死んだ。

そしたら終戦後、ＧＨＱは「マニラ市民10万人は日本軍が虐殺した」と言い出した。己の残虐さを日本軍に擦り付けたのだ。朝日新聞が「ふざけるな」「検証しろ」と反論したら廃刊にすると脅し、沈黙させた。

そういう米国の不都合にはすべて目をつぶって昭和天皇を侮り、日本人を見下す描写に終始したのがこのダワーの本だ。

しかしニューヨーク・タイムズはこの本が世に出ると同時に絶賛し、その流れでピューリッツァー賞が与えられ、さらに歴史書として評価するバンクロフト賞、学校教材に相応しいとする学校図書賞まで与えられた。

「日本人は残忍な民族」だから「2発の原爆も正義の鉄槌だった」という東京裁判史観が半世紀たって上書きされた。

この本を貫く史観はその「序」にある。「日本が近代国家として興隆していった姿は、目撃者を驚かせるものであった。それは誰が予想したよりも急速で、果敢で、順調であり、しかも最後には、誰も予想しなかったような狂気にかられ、残忍となり、みずから破滅していった」

開国から「上下心を一にして」近代化に勤しんだ日本人の姿は頷けるが、その先。ある日、日本人は発狂し、八つ墓村みたいに暴れ出して自滅したと言っている。

中国も米国もただの傍観者で、日本が独り相撲を取ってこけたと言っている。実は東京裁判史観も同じ独り相撲史観に立ち、戦後の日本を縛ってきた。村山富市談話も同じ。「日本は遠くない過去に国策を誤り戦争への道を歩んで侵略し周りに苦痛を与えました」

蛸壺に入ったまま自省する。外も見ない。これでは国家の立ち位置も見失うと首相談話で指摘したのが安倍晋三だった。

「百年以上前の世界には」で書き出された談話は「圧倒的な技術優位」を持った「西洋諸国」が力ずくで第三世界を植民地化していく姿を描き出す。その危機感から立ち上がった日本がロシアを破って「植民地支配のもとにあった、多くのアジアやアフリカの人々を勇気づけました」と続く。歴史とは一つの国が個々に作るのではなく多くの国が絡み合い、様々な力学が働いているのだと言っている。

それからの世界史は植民地帝国主義に固執する西欧が異質・日本を排除していく局面に入る。それは日本の敗戦後も未だに続いていると安倍さんは示唆している。

白人優越主義を引きずる米国の執念がそれを牽引してきたが、安倍談話はそういう現実の歴史を俯瞰し、皮肉も込めて語っている。

戦後史観の抜けない日本人には新鮮な視点だったし、米国は安倍さんの言葉に恐怖を覚えたかどうかはともかく、威厳あるかつての日本人を見たように思ったのではないか。

その安倍さんが暗殺された。戦後史観に浸る朝日新聞などはなお安倍さんを否定してかかるが、事件を機に逆に安倍史観に納得する人も多く出ている。

それがどんな景色か。本書がその一部でも見せられれば幸せだ。もしかしたら安倍さんをやった者が誰かも見えてくるかもしれない。

髙山正之

変見自在　安倍晋三を葬ったのは誰か　目次

はじめに　1

装画　浅賀行雄

変見自在　安倍晋三を葬ったのは誰か

第一章　世界はこんなに歪んでいる

世にもあさましき「漢民族」

江戸期、李氏朝鮮は上も下もあさましかった。

徳川新将軍が就任すると、お祝いと称して400人の一団がやってきて1年間、各地を遊び回った。朝鮮通信使という名のたかり集団だった。幕府の出費は100万両を超えた。

中国はこのころ、まともな満洲人の清王朝が漢民族こと中国人を支配していたから、日本へのたかり行脚などはあり得なかった。

因みに習近平は「栄光ある漢民族文化の復興」を唱えるが、それは間違いだ。

漢人（中国人）は4000年の歴史の大方を外来民族の奴隷として過ごしてきた。

絢爛の文化を生んだ清朝も彼らを家奴《かど》と呼び、満洲人の血が汚れないよう中国人との結婚を禁じた。

「栄光」も「文化」もみな外来民族のものだった。

中国人は自分の国にいながら奴隷にされ続けた。「大義を知らず」（辻政信）、嘘つきで、投げやりで、残忍な国民性はそんな環境から生まれたと考えたい。

実際、阿片騒ぎもそうだ。清朝の満洲人は阿片を禁じたが、中国人は広東沖の零丁島で英側と取引し、阿片禍を広げた。

阿片戦争では中国人は英側に付いた。習近平は国恥と言うが、中国人が自ら招いた禍なのだ。

清朝はこの敗戦を機に軍の近代化を図り、当時、最大級のドイツ製戦艦「定遠」を旗艦とする北洋艦隊を備えた。

艦隊の初任務は朝鮮に介入する日本を脅し上げることだった。

明治19年、「定遠」など4隻が長崎港に無断で入港した。その威容は3000トン級巡洋艦しか持たない日本を十分に青ざめさせた。

中国人艦長は図に乗る。日本側の許可も取らずに水兵500人を上陸させた。

彼らは長崎の街に繰り出して狼藉を働き、一部は丸山町の遊郭にも押しかけたが、日本の色街は外人の登楼を認めない伝統を持ち、それは今の風俗にも続く。

彼らは怒って暴れ、警官と衝突する。日を改めて300人の新手が交番を襲い、警官二人を殺した。

日本人が初めて見た中国人の集団は凶悪な無頼の徒だった。彼らの膺懲《ようちょう》に市民も加わり、結果、中国側は士官を含む4人が死亡、50人が重傷。市民も十数人が負傷した。

一方的に中国が悪いのに日清の和解交渉では日本が中国の払う額の4倍の慰謝料支払いを呑まされた。

「いやならこの戦艦相手に戦争するあるか」の脅しに日本が屈した形だ。中国の艦隊はその5年後、今度は東京湾に「定遠」以下6隻を連ねて押しかけて威嚇した。まるでペリー気取りだった。

彼らの無礼は続く。帰途、無断で瀬戸内海に入り込み、軍事機密の呉の軍港まで盗み見て帰っていった。でも彼らは所詮、中国人だ。結局、何の役にも立たなかった。

それから3年。日本艦隊は豊島沖と黄海で戦って二度とも勝った。

その海の戦いでも中国人らしさが目立った。巡洋艦「済遠」の艦長、方伯謙は豊島沖の戦いで被弾し、艦を停めて白旗を揚げた。国際ルールに則る降伏の形だが、それは偽りだった。日本艦が近づくと魚雷を放って遁走した。

彼は黄海海戦でも前代未聞の敵前逃亡をやった。

中国人政権ならそれもありだったろうが、このときは恥を知る満洲人王朝だ。西太后の命によって方伯謙は斬首された。

西太后は日清戦争の敗因を分析し、中国の人材発掘の形だった科挙の制をやめ、海外留学を新たな登竜門にした。奴隷根性の中国人の心をそれで変えようとした。

しかし中国人がまともになる前に辛亥革命が起きてまさかの中国人政権が生まれた。

袁世凱から蔣介石、そして毛沢東の中共へと中国人治世は続く。

その間に大躍進で3000万人が、文革でまた2000万人が殺された。民を虐げる。それが習近平の言う漢民族の文化なのだ。

被害は周辺に及んでチベットもウイグルもやられて、今は日本が狙われる。

軍艦を並べて脅し、国際ルールを破って尖閣も西沙も手に入れようとする。

それは北洋艦隊と方伯謙の佇《たたず》まいとそっくりだ。

あのとき日本人は「上下心を一にして」建艦費を拠出して備えを成した。

今やっと、GDP2パーセント以上の国防費を出そうという。いいことじゃないか。

（二〇二一年十一月十一日号）

ナチより野蛮な聯合国

ウッドロー・ウイルソンは徹底した人種差別主義者で、大統領になるとワシントンD.C.の官公庁から黒人職員をみな追い出した。

そんな男が提唱した国際連盟もどこか歪んでいた。

例えば連盟規約22条には「自立できない民の面倒を見るのは（白人キリスト教国の）神聖な使命だ」とある。植民地支配はイエス・キリストだって認めていると。

阿片はハーグ条約で禁止されているが、規約23条では連盟に通告すれば宗主国は勝手ができた。

で、英仏は「ハーグ条約の植民地への適用留保」を宣言。英植民地では中国人に阿片を売らせて、そのかすりを取った。

フランスは仏印（ベトナム）の町ごとに阿片公社を置いて「住民に阿片を配給して中毒患者を増やした」（アンドレ・ヴィオリス『牢獄の人々』）。

そういう差別をなくしたいから日本は人種平等案を出した。

昨日まで奴隷を売買していた国がなぜ文明国で、有色人種国家をどんな権利があって支配できるのかを問うたが、ウッドロー・ウイルソンに潰された。

正論を吐く日本はやがて連盟を追われ、連盟自体も空中分解して第2次大戦に突入していった。

そしたらもっとたちの悪い「聯合国」が登場した。

昨日まで奴隷を使っていた教養もない米国が提唱した組織で、特徴は米国人好みの破壊だった。

まずイタリアのモンテカッシーノ修道院を、「独軍の砦になる」という理由で1400トンの爆弾を降らせて破壊した。

6世紀に建てられた修道院にはキケロの写本など貴重な文化財が所蔵されていた。聯合国軍の狂気を知るナチが爆撃前に運び出しバチカンに預けたのが僅かな救いだった。

ナチより野蛮な聯合国軍は次に軍事施設もないバロック様式の街ドレスデンに4000トンの爆弾を降らせた。街は燃え落ち、空襲を予想しなかった市民2万5000人が焼き殺された。

彼らの狂気は日本で最大級に達した。東京空襲では焼夷弾で作る炎の壁で市民を包み込んで10万人を焼き殺した。

さらに広島と長崎に「人体実験を兼ねて」（米エネルギー省）原爆を投下、20万人の非戦闘員を殺した。

これほど無慈悲な大量虐殺を他に知らない。

ロシア人は米国人の上を行った。降伏したベルリンで10万人のドイツ人女性を犯し、2万人を孕ませた。

彼らは日本軍には日露戦争でもノモンハンでも負けた。まともに戦っても勝てないから日本軍の降伏を待って攻撃してきた。

千島列島を攻め下り、北海道を占領するつもりだったが、占守島の守備隊に叩かれて惨敗した。

米国に頼んで日本側に抵抗をやめさせたが、ために日程が大幅に遅れた。

ミズーリ艦上で降伏調印が行われた9月2日、彼らはやっと国後に辿り着いた。

プーチンは対日戦勝記念日を1日遅れの9月3日にした。そうしないと歯舞色丹の領有を主張できないからだ。プーチンのあさましさに呆れる。

同じ聯合国メンバーの中国はそのロシアに輪をかける。満洲、モンゴル、ウイグル、チベットを勝手に占領し、今も略奪と虐殺を恣《ほしいまま》にしている。

聯合国とはいわば犯罪集団だ。その罪を揉み消すために国際連盟に代わる「聯合国機構（UN）」を置いた。日本では「国際連合」と訳すが、正しい訳ではない。

ここの安全理事会（邦訳で安保理）は聯合国絡みならすべての罪を許した。

例えばボスニアでイスラム婦女子を攫って犯したセルビア軍について国連はPKOを派遣した。カナダ兵らのPKO将校は「セルビア軍の招きで攫われた女を囲う収容所に行き、好きに強姦した」（バショウニ報告）。

エボラ出血熱でコンゴ入りしたWHO（世界保健機関）職員も現地の女性雇員50人を強姦したとテドロスが認めた。その前のコンゴ内戦の折には、ハイチ兵のPKOが出て、強姦しまくった。

国連はすべての不祥事を不問に付したが、ハイチ兵の持ち帰ったHIVで世界は随分と迷惑した。

そんな国連に水が合う中国は、目下、常任理事国のポストを利用して犯罪をしまくっている。国連を存続するつもりなら、まず常任理事国の特権を廃せ。

（二〇二一年十一月十八日号）

死刑執行を指折り数えさせる「人道」

「君、米国人と言える米国人などいないのだよ」と岡崎久彦は言っていた。

個人主義が尊重され、みな違った思考をするからほどの意味だと思うが、どうして、「これが米国人だ」と言える米国人はいる。

まず米国人は悪知恵に長ける。これは起源である英国人の資質だが、それを色濃く持つ。出藍の民だ。

加えてやたら要らぬお節介を焼く。声もでかい。それが米国人の形だ。

彼らはどこかの国を取ると、そこを占領したのではなく民主化のお手伝いをした風に装う。その道具立てが「自主憲法」になる。

キューバを占領したときも、パナマをコロンビアから分捕ったときも、フィリピン人40万人を殺して植民地にしたときも、仕上げは占領国家に憲法を作ってやることだった。

キューバでは「外交は米国に預ける」と明記している。書いたのは米国だ。

日本占領時も同じ。真面目で正直で、それでいて強い日本に米国は手を焼いた。だから二度と軍事強国にならないよう憲法に軍隊の放棄を明記した。

GHQは戦後日本を仕切ったが、目的は一つ。日本の弱体化だった。

中絶は望ましい。共産党はいい政党で、朝日新聞もいい新聞だと嘘ばかり吹き込んだ。

パン給食もいいと言ったが、あれは「生産過剰の小麦を日本に買わせるためだった」とジョージ・マクガバンが後に自供している。

そして無知、無教養なくせにお節介が続く。日本では母親が赤ちゃんの添い寝をする。それが駄目だと口を出してきた。

赤ん坊は生後1年以上植物人間だから添い寝したって意味がない。むしろ危ない。だから「産院では米国式に母子別室にしろ」と命じた。それで不幸な子の取り違え事故が続いた。

しかし後にWHOが「乳児は植物人間」は間違いで、日本式に母の心音を聞いて育つと情緒が豊かになることが裏付けられた。

GHQは日本の死刑のやり方にも口を出した。

日本は戦前まで死刑執行当日の朝に死刑囚に通告し、そのまま執行室へと連れていく方式だった。

朝日新聞記者でソ連のスパイだった尾崎秀実は「午前7時過ぎ、執行を告げられ、同8時

51分、絶命した」（松本慎一）。

対して米国では1カ月前に執行が公表され、本人は処刑場のある施設に移されて夜も監視下に置かれる。

最期の日は家族と一緒に過ごし、その後、一人だけの夕食を取って、真夜中の午前零時1分の執行を待つ。

最後の晩餐となる夕食はプライム・リブとか自分の大好物を頼める。

33人の少年を殺したジョン・ゲーシーはフライドチキンとダイエットコークだった。

米国は事前通告、日本は即日方式だが、なぜか法務省は戦後になって事前通告するようになった。

法務省は語らないが、GHQが抜き打ちは非人道的とか言い出したに決まっている。いや事前通告の方が酷と日本が抵抗したが、添い寝と同じ、GHQに寄り切られたのだろう。

予想通り、通告は死刑囚を大きく揺さぶった。

見ていられないほど憔悴し、あるいは自暴自棄になって大暴れする。

処刑される日を待つのは確かに耐えられない恐怖があるのだろう。

で、法務省は「数日間」を1日縮め、さらに2日縮めて昭和50年には執行前日まで縮めた。

恐怖は一晩だけにするという親切心だったのだろう。

ところが同年10月、福岡拘置所で翌日執行を伝えられた死刑囚が夜、耐えられずにカミソリで手首を切って自殺してしまった。死ぬほど怖かったらしい。

以降、法務省は戦前方式に戻したと聞く。

実際、3年前に処刑された麻原彰晃も当日朝食後に通告され、教誨室で遺体の引き渡し先をだれにするか、ぼそぼそ告げて処刑台に立った。

通告時間もほとんど尾崎秀実の時と変わらない。

大阪拘置所の死刑囚2人が大阪地裁に「当日告知は違憲」と訴えた。

異議申し立てができないという趣旨だが、ではそのために1カ月前から指折り数えて死刑執行を待てるのか。

（二〇二一年十一月二十五日号）

朝日に倫理観は期待するな

日本軍が朝鮮人女を何万と攫って兵士の慰み者にし、大方はぶち殺したという、いわゆる慰安婦問題。

「あれは我が朝日新聞がでっち上げた嘘でした」と木村伊量が認め、彼がクビを差し出す条件で朝日は廃刊を免れたと、世間は理解してきた。

あとは論説主幹辺りが慰安婦強制連行とかはみんな嘘でしたと世界を謝罪行脚して回る。

「慰安婦？　いや性奴隷でしょう」と言ったヒラリーには「実は慰安婦はみな売春婦でした」と説明するものだと思っていた。

スリランカの性悪女クマラスワミにも「もう嘘はいい」と使命終了を伝えて彼女が国連に出した文書の廃棄方を命ずるとも思っていた。

しかし何年か経ったのにそんな気配もない。

反省しましたと言ったのもまた嘘だったかと思っていたら先日の社説に「『慰安婦』30年

被害者の救済が原点だ」の見出しがあった。

慰安婦問題の被害者とはあらぬ汚名を着せられた我々日本人だ。

根本清樹論説主幹がシカトしてきた世界謝罪行脚をいよいよ始めるのか。

それとも悪質な嘘を続けた過去を詫びて廃刊を決断したのか。

期待して読んで愕然とした。朝日に倫理観を期待したことが間違いだった。

社説は「金学順が、日本軍の慰安婦だと名乗り出たのは30年前だった」と書き出す。

そこからヘンだ。金学順は女衒《ぜげん》に売られた売春婦だと証言している。それを植村隆が「日本軍が挺身隊の名で強制連行し、戦場の性奴隷にした」かのように書いたのが30年前の出来事ではなかったのか。

しかも「挺身隊」という言葉もなかった時代だ。

植村の捏造が過ぎると西岡力、櫻井よしこ両氏が指摘し、裁判所も「植村の捏造と言わざるを得ない」と判示した。

何で裁判所の判断を無視して、再び慰安婦の嘘を正当化しようとするのか。

社説は、それは日本政府が「日本軍の関与の下に（朝鮮人売春婦の）名誉と尊厳を深く傷つけた」とする河野談話を出し、それがまだ生きているからだという。

日ごろ、日本政府を目の敵にしているくせにここだけなぜ信を置くのか。

河野談話はあの福島瑞穂の立ち会いで16人の元性奴隷が涙交じりで語った「真実の証言」が元だ。

ところがその証言者の身許はどれも不確かで、日帝が作ってやった戸籍に合致する者もいない。どこの馬の骨子かも分からない。

おまけに証言も慰安施設のない「台湾で性奴隷にされた」とか、もろ嘘をついている者が半数もいると産経新聞が書いていた。

そんな怪しげな河野談話に縋って開き直る意図は社説の後半に出てくる。

「専門家らの研究は続いており、慰安婦の実態は多様だったことがわかってきた」という件《くだり》だ。

最近出てきた研究と言えばハーバード大教授のラムザイア論文だ。

「戦前の日本の売春業は年季契約だった」「戦地では年季を短くし、報酬も大きく上げた」「朝鮮人慰安婦の待遇も同じ」と裏付け資料も満載している。

やっぱり朝鮮人慰安婦は売春婦だった、それも結構稼いでいたとハーバードの先生も認めている。

しかし社説の言う「専門家」にラムザイアは入れていない風で、日韓共に「被害者の傷を癒す事業に向き合え」と結論する。

被害者とは変わらず「日本軍に拉致された朝鮮人性奴隷」を言う。いまだに言を弄し、事実には目をつぶり、己は正しいと言って恥じない。

この社説と前後してＤＨＣテレビの報道についての社説が載った。同テレビが「沖縄の基地反対運動をする在日の名誉を傷つけた」と東京地裁が判示したのを受けた社説だが、それが凄い。

この「ＤＨＣテレビ」は「虚偽の情報発信や民族差別発言を繰り返し、外部から批判を受けても反省するそぶりすらみせない。企業倫理が厳しく問われる事態が続いている」と。

朝日が無視した裁判所の判示じゃない。まだ地裁レベルで、しかも朝日ほど確定した虚偽報道でもない。

批判にも反省すらしない。それで他人様に「企業倫理」とは、よく言う。

（二〇二一年十二月二日号）

世界を揺らすアルバニアの遠謀

アルバニアという国がある。バルカンの外れにあって民はギリシャ系でもスラブ系でもない。近隣に同一種族もいない。どこから来たのかも分からない。

取り柄は「彼らの肝は絶品」とトルコ人は言う。実際、「アルバニア人の肝」という名のトルコ料理もある。

それほど周りから疎まれる国なのに、なぜか自国領をどんどん増やしている。

例えば東方正教会系のセルビアの古都コソボは今ではアルバニア人の領土になっている。別に力尽くで取ったわけではない。14世紀末、オスマントルコが襲来したとき、セルビアは頑強に抵抗してオスマン朝のムラト1世の暗殺までやった。

オスマン朝はその報復にセルビア人の「魂と信仰の揺籃《ゆりかご》の地」コソボを奪って徹底的に汚そうとした。日本で言えば奈良、京都に当るか。

その手段が、疎まれるイスラム教徒アルバニア人のコソボ入植だった。

ずっとあと、ユーゴの独裁者チトーもこのセルビア苛めをそっくり真似て多くのアルバニア人を入植させた。因みにチトーはカソリック系クロアチア人だ。

おかげでというか、2008年にはアルバニア人の2番目の国家コソボが誕生している。二つのアルバニア人の国に接するスラブ系の北マケドニアも今やアルバニア人の浸潤が酷く、ここも含めてバルカン半島の一大勢力になりつつある。

嫌われることを特技として国家を盛んにする。日本の近くにもそんな国がある。

しかしアルバニア人は韓国人と違って国際社会も大いに揺り動かしてきた。

1971年、国連から台湾の蔣介石を追い出し、代わりに中国の毛沢東を入れる決議案が出され、可決された。決議案は提案国に因んで「アルバニア決議案」と呼ばれる。

このときは日本などから「台湾は議席を残したまま、ただ常任理事国のポストを毛沢東にくれてやる」という決議案も出ていた。

が、中国に取り入ったアルバニア案が先に議決され、出る幕を失ってしまった。

結果、台湾の存在はあやふやになって今は習近平が公然、オレのものとか言い出して存亡の危機に曝されている。

それが中国贔屓のアルバニアの遠謀だったという臆測もある。そういう狡《こす》からさはコソボ獲得からも窺える。

それからちょうど20年後の1991年、冷戦で分断された南北朝鮮を国連に同時加盟させる決議案が出された。

アルバニアも共同提案国に名を連ねたが、提案国はアルファベット順で書かれるから、まるで筆頭提案国に見えた。

ただ、その前年に同じように冷戦で分断された東西ドイツが統一を高らかに宣言していた。冷戦の一方の旗頭、ソ連もその時期、随分きしんでいた。2年前のベルリンの壁崩壊以降、配下のバルト三国やベラルーシが主権回復を宣言し、やがてソ連共産党自体も解体されて「ソ連邦」が消滅してしまおうとしていた。

そんなときに「冷戦で分断」を口実にした南北朝鮮をそれぞれ独立国家として認める必要があったのだろうか。

誰も南北朝鮮の統一に反対などしない。統一したところで極東の場末の小さな国がくっつくだけだ。世界のパワーバランスが乱れることもない。

中国が何か言いそうだが、あのころはまだ貧しく韜光養晦《とうこうようかい》中だった。

しかし分断国家を固定化する同時加盟案は、アルバニアンマジックとでもいうか、実にすんなり通ってしまった。

旧ソ連は国連議決権3票を持っていたが、崩壊後のロシアは1票になった。代わって同じ顔して同じ性格の朝鮮人が南北合わせて2票を持った。

彼らはサッカーW杯にも五輪にも二つのチーム枠を持つ。そして今は南北揃って潜水艦発射ミサイルを開発し、ともに世界の脅威になろうとしている。

アルバニアは本当に余計なことばかりする。

償いに南北朝鮮から1議席を取り上げ、それを本来なら持つはずの台湾に与える新アルバニア決議案を出したらどうか。

たまには世間のためになるマジックを見せるがいい。


（二〇二一年十二月九日号）

漢人から生まれた「悪漢」「痴漢」「無頼漢」

習近平はよく「偉大な中華民族の復興」と言う。

中華とはイタ飯とかフレンチとか料理の種類の名だと思っていた。民族の名だとは知らなかった。

それも中国に咲いた文化すべてを生んだ民族という。それも初耳だ。

中国の歴史は万里の長城が見守ってきた。

その内側、いわゆる中原に漢民族が住み、そこへ長城を越えてきた夷狄が王朝を建てるというのが形だった。

で、北狄が殷を、西戎が周を、東夷が秦を建て、華麗な青銅器文明、鉄器文明を生みだし、秦は中国初の中央集権国家を完成させた。

その後も鮮卑やモンゴルがやってきた。

その間、中原の漢民族は外から来た異民族王朝の下でずっと奴隷の身分にあった。

自分の国で奴隷にされるのはやるせない。それで漢民族の卑屈で残忍で嘘を恐れない民族性が生まれたという分析もある。

歴史には夷狄が場末の中原まで来なかった空白期がある。そんな隙間に漢民族がこっそり国を建てたこともあった。

紀元前2世紀の漢がそれだ。それが嬉しかったのか彼らは以来、その王朝名「漢」を民族名にしてきた。

ただ根が奴隷育ちだから漢の治世は猜疑心と物欲で混乱した。民はこのときほど早く夷狄が来て新しい王朝を建ててくれないかと待ち焦がれたことはなかった。

その後は幸せな夷狄支配が戻るが、１１００年後に再び悪夢の漢民族王朝の明が建ち、さらに幸せだった満洲王朝清の治世をはさんで今の中共が建った。

中共は漢民族政権の中でも残虐さで群を抜く。大躍進と文革ですでに５０００万人を殺し、今も上積みに勤しんでいる。

こうやって歴史を振り返ってもどこにも「偉大な中華民族」は出てこない。

「いやいや、そうじゃない」と習近平は言う。

漢民族とか西戎とかはもう大昔に相互に溶けあった。今は多くの民族が混淆した中華民族がいるだけなのだとおっしゃる。

お言葉だが、漢民族が大昔に消えたという説には素直に頷けない。

例えば五胡十六国時代には漢民族ははっきりいた。北から来た女真族とかは礼を失した者や粗野な振る舞いを見ると「まるで漢人みたい」と非難した。

そこから悪漢、痴漢、無頼漢とかの言葉が生まれた。長崎大の須山卓教授の説だが、それは今の中国人にもそのままあてはまらないか。

満洲族の清が支配したときも漢人はいた。彼らは髪を伸ばし放題にする。

それで清は彼らをこざっぱりした辮髪にさせた。拒む者は首を刎ね、漢人は少し減った。

阿片戦争の時、漢民族は英軍についた。旗印は「滅満興漢」だった。満人を倒して漢人の国を樹立しようという意味だ。

日本人は日清戦争で初めて生の漢人の群を見た。

「敵（漢人）は古より残忍の性を有す」「生擒に遭わば（生きて捕まると）酷虐にして死に勝る苦痛（性器を切り、耳鼻を削ぎ、目を抉る）を受け、ついには戕賊《しょうぞく》（手足を切断）せらる」と山縣有朋は訓示した。

西太后は日清戦争に敗れた後、漢人を人並みにするために科挙の制をやめて海外留学を官僚の登竜門とした。

第1号は科挙をトップ合格した汪兆銘で、戦争に負けた日本へ留学させた。

西太后の大きさが伝わるが、彼女の評判は悪い。北洋艦隊の戦費を流用したとか、ライバルの寵姫、麗妃を生きたまま手足を切って壺に入れたとか。

それは漢の劉邦の妻、呂后《りょこう》がやったことだ。北洋艦隊も日本艦隊の倍の装備と戦闘艦を与えられていた。負けたのは漢人将兵が逃げ回ったからだ。

彼らは責任の擦《なす》り付けや誹謗中傷が抜群にうまい。

それは西太后の時代まで漢民族が元気に存在したことの証になる。

習近平の「漢民族は大昔に消えた」説にはそういうわけで何の根拠もない。

傲慢で残忍な今の中共の振る舞いも「いつも元気だ漢民族」と言っているようにしか見えない。

では彼はなぜ「漢民族」を消して架空の「中華民族」を創り出したのか。

そうすれば中共がウイグルもチベットも自国領と主張できるからか。

習近平は皇帝としても地面師としても一流とは言い難い。

（二〇二一年十二月十六日号）

「領土は盗んだもの勝ち」のさもしさ

「吉田茂は李承晩を徹底して嫌った」と堤堯『昭和の三傑』にある。

ホントに嫌な奴で、嘘は平気、無責任で、自分たち朝鮮人同士の戦争もさっさと米国に押し付けた。

北朝鮮も同じ。ソ連と中国に丸投げして大国に代理戦争をやらせた。

2年経って押し付けられた大国がこんな滓みたいな国のために自国民が血を流すのに嫌気し、お互い休戦を考え始めた。

そしたら「何を言う」と李承晩が出てきて「北進統一」つまり米軍はもう一度北を攻め、韓国が南北を統一するまで戦えと言った。

それならお前らがやればと米、中、北が休戦協定に調印した。その場に李承晩がいなかったのは北進統一をまだあちこちで吹聴していたからだ。

だいたいこの男はよその国に戦争をやらせていた間、何をしていたか。日本海に李承晩ラインを引いて日本漁船員を捕まえ、日本領竹島まで奪っていた。

日本は国交断絶を留保したが、今からやっても決しておかしくはない。

李承晩はもっとふざけたこともした。李ライン騒ぎのさなかの昭和27年秋、八丈島の南で海底火山が噴火して島ができた。

焼津の漁船が見つけ、漁船名に因んで明神礁と名付けられた火山島は間もなく水没するが、それでかえって世界の注目を集めた。

なぜなら当時はまだ領海3海里時代。その外側は公海だった。明神礁は公海中に位置するが、再浮上して島になれば、それを最初に見つけた者の国の領土になる定めだった。

だから日本は急ぎ観測船の第五海洋丸を現場に出した。米もソ連も中国まで軍艦を出して、再浮上する火山島を待っていた。

そこに目下戦争中のはずの韓国艦までやってきた。

韓国人が最初に見つければ伊豆諸島の真ん中に韓国領の島ができる。そこを起点に、太平洋にも李ラインを広げようという悪意が丸見えだった。

日本人には耐えられない嫌がらせだった。

第五海洋丸はその思いもあって噴火海域のすぐそばで観測を続けた。

そして間もなく大噴火が起き、標高３００メートルの火山島が出現したが、海洋丸からの報告はなかった。

波に浮かぶ残骸から船長以下31人全員が殉職したことが確認された。

その後、海洋法は改められ、領海は12海里まで広がり、その外側に12海里の接続水域、さらに200海里までの排他的経済水域が認められるようになった。

その水域で海底火山がいつ島になろうと、そして韓国人が第一発見者であろうとも日本国の領有になる。

もう7、8年前に小笠原諸島近くの西之島の脇で海底火山が噴火した。新西之島はどんどん成長して1平方キロの本島を飲み込んで今は4平方キロの大きな島に成長した。

それがどれほどの大きさかというと、中国が因縁つける尖閣の魚釣島より一回り大きく、李承晩が盗んだ竹島の20倍にもなる。

どんな国もこと領土となると品もマナーも投げ捨て、さもしさを剥き出す。

日本の何十倍の領土を持つプーチンも芥子粒《けしつぶ》ほどの歯舞も色丹も「盗んだもの勝ちだ」と恥ずかしげもなく言い放つ。習近平も同じ。嘘を承知で尖閣は昔からオレのものと言う。

世知辛い領土問題でも日本人は気長に待てる。

なぜなら領土は伊邪那岐《いざなぎ》、伊邪那美《いざなみ》の昔から神様が海を掻き回して作ってくれるものと信じているからだ。

他国を騙したり強奪したりしなくとも西之島のように領土が平和裏に増えていくのは日本だけだ。

つい先日も硫黄島の南約50キロの福徳岡ノ場で海底火山が噴火し、1平方キロの島ができ上がった。つまり日本の領土がまた増えた。国生みは今も続いている。

ところがこれが馬鹿な朝日新聞にかかると「軽石被害」に集約して「漁船の出港を邪魔し、モズクの養殖を妨げる」（天声人語）。

何ともロマンのない。

軽石は国生みの後産と思えないのか。それに「軽石亭主」という言葉もある。

伊邪那岐のように妻一筋の生き方は美しい。

（二〇二一年十二月二十三日号）

高市早苗が語った保守本流

社会部記者は一旦締めたネクタイに指を入れて3センチ緩める。ちょっとの着崩しがいなせだと思ってそれで警視総監にも永田洋子にも会う。

政治部記者はネクタイを緩めない。だから書くことが面白くもない。

そんな政治部記者が脂汗を浮かべ、ネクタイを緩めたことがある。一昔前、あの「悪夢の民主党政権」成立のときのことだ。

何で民主党なのか。人材は公金詐欺の辻元清美とか屑ばかり。政策は「コンクリートから人へ」とか、冗談と区別もつかない。

ただ朝日新聞は褒めちぎった。「日本も二大政党の時代」「自民党に伍す民主党の出番」とか。とどめに「長期政権の自民にたまにはお灸を」と言った。

朝日はこういうキャッチコピーがうまい。古くは在日朝鮮人送還のための「北朝鮮は地上の楽園」だ。梃子《てこ》でも動かなかった9万人がそれで地獄に帰っていった。

因みに先日、脱北した帰還者が「楽園と騙された」と北朝鮮を訴えたが、楽園と宣伝したのは北でなく朝日だ。みんな生き生き、豊かな暮らしと囃したのは岩垂弘記者らだ。訴える先は北でなく朝日が正しい。

その朝日が次の標的にしたのがマイナンバーの初期型カード。国会で成立し、さあというときに「国民総背番号制」と言い出した。

「貴方は番号で管理されていいのか」とジョージ・オーウェル風に脅す。

一旦、成立した法律が廃された。朝日は法すら潰せる存在だった。

そして「自民にお灸」だ。まさか、あの屑集団がと思う各紙政治部記者の予測を越えて、有権者は踊った。

あのころ乗ったタクシーの運転手が「たまにはお灸もいいもんだ」とみな口を揃えた。それで悪夢の民主党政権ができてしまった。

政権担当能力は尖閣で巡視船に体当りした中国人船長逮捕の事件で試された。

中国は即座にフジタの社員4人を拘束した。日本軍が毒ガスを埋めたという嘘に便乗してカネ儲けに中国に行った連中だ。放っておけばいいのに仙谷由人は折れた。尖閣を放棄した瞬間だった。

そしてとどめがアホの菅直人の原発みんな停止。日本は昭和20年の敗戦のとき並みのダメージを食らった。

かくて民主党は総スカンを食い、以後、立憲何とかの通名で裏通りを徘徊していると思っていたら、朝日が令和の総選挙で再び彼らを政権党に担ぎ出してきた。

やり口は前と同じ。長期政権の自民は膿を持った。またお灸の据えどきだと。

ただ立民には悪夢のイメージが漂う。

で、朝日は共産党と抱き合わせた新鮮な「立憲共産党」を編み出した。

解散の翌日、朝日の政治部長、坂尻某は「悪弊の自民を断ち切れ、立民に力を与えよ」と高らかに宣した。

そうすれば立民は勝てる。なぜなら共産党と共闘で「小選挙区の3分の2超を制するからだ」と勝算を示した。

実は各紙政治部記者はそのマジックにまた引っかかっていた。自民は過半数の233議席も危ないと。

事実、投票当日の出口調査も自民大凋落、立共大躍進を裏付けていた。

午後8時、投票締め切りと同時に共同通信は「自民200議席も危ない」の第一報を流した。

かくて各紙揃って大誤報となったが、その言い訳が笑える。「若者が自民に流れた。ただ出口調査の終わったあと、若い有権者が夜陰に紛れて動いたから読めなかった」

若者は蝙蝠《こうもり》か。

その動きは実は見えていた。高市早苗だ。彼女は総裁選で保守本流を語った。

靖国参拝は当たり前だ。中国、韓国如きに媚びるのは外交とは言わない。我が国に原発は必要だ。

日本人の立ち位置を彼女が語り、若者が動いた。自民党員登録が10万単位で増えていった。

出口調査でなぜ見えなかったか。若者が朝日、共同にホントを言うか。トランプの票が見えなかったのと同じ。「隠れ自民」が今度の選挙を動かした。

朝日は己の目論見の破綻を枝野に押し付けた。天声人語は「お灸を据えられたのは共闘野党だった」とまるで他人事にした。

新しい日本に朝日新聞はいらない。


（二〇二一年十二月三十日・二二年一月六日号）

第二章　砂上の楼閣、中国

米国製憲法は日本を滅ぼす

日本支配を始めたＧＨＱは米国が過去に占領したキューバやフィリピンでやった統治方式に倣った。

それはまず、その国の憲法を作ることだった。それによって誰がその国の真の支配者かを教え込める。

マッカーサーは幣原喜重郎首相に自作の新憲法草案を手渡し、昭和21年2月22日の閣議で受け入れを認めさせた。

マーク・ゲインの『ニッポン日記』には「その日はジョージ・ワシントンの誕生日に当たる」とある。

ワシントンは子供のころ斧で桜の木を切り倒した。粗暴な子だった。マッカーサーは桜の国、日本を切り倒す新憲法をその日に認めさせたことに嗜虐的な喜びを感じていたのだろう。

ただ、草案は帝国議会で審議される。それをパスしないと新憲法発布とはならないが、日本はキューバやフィリピンとは大違いで、昨日まで五大国の一つだった。教育水準も高い。脅しやカネで屈するようには見えない。

で、マッカーサーは帝国議会議員を総取っ換えすることにした。骨のありそうな者は戦争協力者という曖昧な基準で任を解いていった。世に言う公職追放だ。

それで東久邇宮も緒方竹虎、石橋湛山もクビにした。財界では植村甲午郎、東急の五島慶太、西武の堤康次郎を追放し、ついでにレーダーの父、八木秀次や菊池寛など名のある者21万人を蟄居させた。

結果、衆院の8割が追放され、GHQはその穴を媚米派で埋める作業に入った。

加藤シヅエはその一人で、「GHQの将軍がいらっしゃって」立候補を強く望まれたと自伝にある。

シヅエは「女性も性を楽しむ権利がある」と主張するマーガレット・サンガーに傾倒して弟子入りし、帰国後は中絶と「悪い遺伝を絶つ断種」を普及させる運動を続けていた。

女ヒットラーは当選後、GHQに協力して日本の人口を減らす家族計画の旗振りをやった。

GHQは獄中にあった共産党の徳田球一らを見つけて罪を赦して立候補させた。延安にいた野坂参三も呼び寄せて立候補させた。

初の女性候補者も多く立てたが、この中には無垢な女性を装った柄沢とし子ら共産党員が多数ちりばめられていた。

共産党の首魁、宮本顕治は小畑達夫に濃硫酸を浴びせるなど拷問して殺した殺人罪で服役中だったので候補からは外された。

そんな連中を集めるとGHQはそんな連中でも当選できるよう最大14人区を置くなど選挙区を弄《いじ》るゲリマンダー方式を取った。

かくて昭和21年4月、衆院選挙が行われ、GHQ推薦組は全員当選した。

民主選挙というよりは我が国の選挙史上、例のない不正選挙だった。

貴族院も同じ。公職追放で大方の人士を追い出したうえで、例えば後に吉田茂に「曲学阿世の徒」と罵られた南原繁ら親米派が新たに勅任された。

中に憲法学者の宮沢俊義がいた。彼は天皇発議を装ったマッカーサー草案が出ると、その欺瞞を追及することもなくすぐ草案に賛意を表明した。

おまけに八月革命説を持ち出した。誰も気づかなかったけれど実は「ポツダム宣言を受諾したときに主権は天皇から国民に移っていた」と言うのだ。

GHQは宮沢の機転を喜び、その褒賞として貴族院議員にしてやった。

そういう議員連中が新憲法の審議をやって通過成立させた。

マッカーサーはそんな不純な新憲法を明治節の日に公布した。

新日本の礎を築かれた明治天皇の誕生日に、日本を滅ぼす米国製憲法を公布する。彼らしい嗜虐趣味溢れる決定だった。

それから今年で76年。その間、米国製憲法を持たせられたキューバではカストロがそれを破棄し、もう3回も新憲法を作っている。

フィリピンはルーズベルトが押し付けた憲法を1973年に捨てた。

パナマも「運河用地を米国に与える」とした憲法を1972年に破棄した。

日本は不正に作られ、不正に選ばれた者が成立させた憲法をまだ「いい憲法だ」と護り続けている。


（二〇二二年一月十三日号）

ウクライナ戦争は宗教戦争

イエスは慈悲と寛容を説いたが、信徒の方はむしろ不寛容を好んだ。

キリスト教の本山が西のローマと東のコンスタンチノープルに分裂したのも些細な見解の相違をお互いが許さなかったからだ。

喧嘩の元はミサで出すパンだ。それがふっくらしたパンか、種なしパンか。それで揉めた。

だいたいミサのパンはあの最後の晩餐に因む。

イエスはパンをちぎって十二使徒に回しながら「パンは私の肉体だ」と言った。ワインを指して「私の血だ」と言った。

ミサで出すパンは聖体のことなのだ。

ただ、その最後の晩餐はユダヤ教の過ぎ越しの祭りの日に当たった。

エジプトでの苦しかった奴隷時代を忘れないよう不味い種なしパンとニガヨモギとワインが食卓に供される。

イエスがその夜、手にしたのは種なしパンだった。「だからミサでは種なしパンが当然だろ」とローマ側は言った。

対して東は「イエスはパンとワインで自分の肉体と血を譬えた。それがたまたま過ぎ越しの祭りだっただけで、パンなら何でもいいのだ」と言い返した。

ついでに言うと十字の切り方も西のカソリックは額、胸、左肩、右肩の順だが、東は右肩、左肩の順だ。

そんなこんなで不寛容の挙句に双方が破門し合い、お互いを異端と罵った。

それは13世紀のローマンカソリックが派遣した第4回十字軍で形になった。彼らはイスラムではなく、コンスタンチノープルを攻め、破壊と略奪を恣《ほしいまま》にした。

カソリックにとって東方正教会はイスラムより憎い存在だった。

15世紀、ワラキアのブラド公は侵攻するイスラム勢力を撃退した。

その昔、フランスのトゥール・ポアチエで北上するイスラムをカール・マルテルが倒した。

彼は英雄の称号を与えられた。

しかし東方正教会のブラド公は同じくイスラムを倒したのに、英雄どころか血に飢えたドラキュラに仕立てられて貶められた。

東西の憎しみ合いは実は今も元気なのだ。

東方正教会系のセルビアは戦後カソリック教徒のチトーが支配するユーゴスラビアに組み込まれた。

チトーはセルビアの古都コソボにイスラム教徒のアルバニア人をどしどし入植させた。京都を在日中国人や韓国人の街にするようなものだ。

チトーの独裁政権が終わり、主権を回復したセルビアはすぐコソボからイスラム系アルバニア人を追い出そうとした。

途端にＮＡＴＯが介入してきた。ＮＡＴＯは基本カソリックか、その分派プロテスタントの国々で構成される。

介入は「コソボのイスラム人保護」の名目で、首都ベオグラードまで空爆した。

さらにセルビア人指導者を国際法廷で裁き、とうとうコソボをセルビアから独立させてしまった。

ＮＡＴＯは次にルーマニアやブルガリアなど東方正教会系国家にも圧力をかけて取り込んでいった。これを「ＮＡＴＯ東漸」と言う。現在、東方正教会系で残っているのは本山ロシアの他ウクライナとベラルーシとグルジアくらい。

ＮＡＴＯが目下、取り込みを画しているのがロシアに隣接するウクライナだ。

実はここはまるまる東方正教会系国家とは言い難い。半分カソリックなのだ。

16世紀以降、ポーランド王国に支配され、国の西側はカソリックに改宗していて、東方正教会系の民は東側半分に住んでいる。

NATOはそこを衝いて取り込もうとする。

ウクライナが取り込まれれば次はグルジアが取られるのは目に見えている。

そう言えば中立のフィンランドもNATO加盟を言い出した。

ロシアは完全にNATOに包囲されてしまう。

プーチンは今、ウクライナ国境にロシア軍を集結させている。せめて東半分だけでも守りたいという思いなのだろう。

その辺を公平に理解できるのはキリスト教のたちの悪さをよく知っている日本人だけだ。

プーチンは北方四島を素直にすぐ返せ。そしたら日本が仲裁に入ってやる。

（二〇二二年一月二十日号）

習近平が多産を薦めるおぞましき理由

満洲人の清王朝は米国人が黒人奴隷を見るのと同じ目で中国人、というか漢民族を見ていた。

米国は異人種間結婚（miscegenation）禁止法を作り、黒人と交わる者を死刑に処した。白人の純血を守るためだが、清も同じに満洲人と漢人の結婚を禁じた。

清の後宮には満洲女性の他、同盟国のモンゴルやウイグルの女性もいた。乾隆帝の愛した香妃はジュンガルの出身で、熱河の承徳宮や北京郊外の円明園には彼女のための宮殿が建てられていた。

その後宮にも漢人の女は入れなかった。

漢人は清朝の故地、満洲にも入れなかった。

一つには不潔な民と思われていたこと。実際、漢人は過去、その不潔ゆえにペスト菌からスペイン風邪から今のコロナまで人類を滅ぼしかねない疫病を幾つも生み出してきた。

二つ目はゴキブリにも譬えられる漢人の爆発的な増殖力への恐れだ。

満洲に入植でもさせたら、その多産のせいで満洲を埋め尽くしかねない。

実際もその通りになって、今は純粋満洲人は10人も残っていない。

チベットもウイグルも全く同じように中国の人海戦術に圧倒されている。

実は今の北京政府にとっても野放図に増える漢人の増殖率は問題だった。

例えば習近平が言う共同富裕で、みな等しく朝、卵焼きを食うと14億個の卵が要る。日本や台湾のスーパーを買い占めても足りる数字ではない。

で、鄧小平は憲法に一人っ子政策を書き込んだ。

それで三世代目になると一人の孫が両親と双方の祖父母6人を引き連れて歩く「小皇帝」が現出した。

しかし今や老人だけが増え、働き手が危機的なまでに減ってきた。

習近平は主席になるとすぐ憲法の規定を変えて二人目を推奨した。

しかし家賃は高い、教育費はもっと高いから親は躊躇《ためら》い、期待したベビーブームは来なかった。

習近平は怒り、昨年、もう3人目も許す。どんどん産めとバナナのたたき売り風の口上で命令した。

多産が特技の中国人が二人目ですら躊躇っているときに、なんで習近平は3人目を口にしたのか。

これに中国人はよからぬ予感を覚えた。

根拠の一つは最近の中国の天変地異にある。

一昨年は長江と淮河で記録的な豪雨による洪水が起きた。三峡ダムが壊れるんじゃないかという噂もあった。

少し遅れて四川、雲南でも洪水が田畑を傷めた。

併せると中国の全農地の14パーセントが被害に遭った計算になるが、被害は単にその年の農作物だけでは収まらない。

例えば淮河は工業廃水でピンク色をしていた。それが流れ込んだ田畑はもはや使い物にならない。つまり農地が14パーセントなくなってしまったのだ。

そして昨年。今度は黄河沿いの河南省で洪水が起き、鄭州では地下鉄が水没して多数の死者も出た。

湖広と並ぶ穀物産地の満洲は逆に旱魃に見舞われ、これで中国は2年連続の大不作を記録した。

根拠の二つ目は中国が「世界の穀物市場で大豆や、小麦など在庫の過半を買い占めた」

（日経）ことだ。

台湾侵攻に備えての備蓄かとも噂されたが、習近平の新年の挨拶では台湾にはほとんど触れなかった。代わりに食糧の自給率を高め、豚肉の95パーセントを自給せよと号令した。もともと民工の都市への流出で田畑の休耕が目立っていた。そこに大凶作だ。14億の民に実は深刻な食糧危機が迫っている。それで買い占めに出たのだろうが、それでも焼け石に水の感がある。

習近平はそれらを踏まえて多産を薦める。

中国では毛沢東の大躍進のときとか大飢饉のたびに易子而食、つまり隣の家の子と我が子を取り換えてその子を食い、飢えを凌ぐというのが形だった。

習近平の言葉は一人っ子では隣の子と交換できないから、2人、3人産むことで交換用の子が用意できるという意味に取れる。

主席らしい心配りだ。

（二〇二二年一月二十七日号）

ウソを真実に見せる天声人語

日本人にとって韓国の大統領はみな碌でもない人のように見える。

初代の李承晩は日本が占領下で手出しができないのをいいことに漁船員を拘束し、竹島まで盗った。

吉田茂が切れて在日韓国人の追放と韓国艦艇の実力排除を下知すると、李承晩は慌てて「日米韓不可侵条約」を提案し、米国のスカートの中に逃げ込んだ。実に卑劣な男だった。

金泳三は人気回復のために日本が建てた朝鮮総督府を爆破した。

山ほど爆薬を仕掛けたのにドーム部分にぽこり穴が空いただけだった。

それでも支持率は80パーセントを越えた。以来、人気回復は反日が常套になった。

ただ日本には碌でなしでも、韓国の為政者としては評価される者はいる。例えば朴正熙だ。

彼が政権を取ったころの韓国は「分裂と腐敗と因循姑息に塗《まみ》れ、工業化など神話」(米経済学者ウォルト・ロストウ)でしかなかった。

朴はそれを承知していたので「韓国人でなく日本人にやらせよう」と考えた。

彼は若いころ血書で日本人を感動させ、とっくに入校年齢をオーバーしているのに満洲軍官学校に裏口入学した過去がある。日本人の操り方を知っていた。

で、ライシャワーに頼んで日韓会談を再開させ、日本人を怒らせた「謝罪」と「賠償」の文言を引っ込めた。

そして「我々は共産主義の防波堤になって日本を守っている」「自衛隊の代わりにベトナム戦争にも参戦する」と言った。

日本人はころり騙された。5億ドルの経済援助に加え、半島に残した7兆円の日本資産を放棄し、加えて工業化のノウハウまでくれてやった。

かくて韓国人が一切関与しない「漢江の奇跡」ができあがった。

朴正熙に次ぐのは彼の暗殺後に出た全斗煥と盧泰愚の軍人コンビになるか。

全もただわあわあ騒ぐだけの韓国人の性状を知っていたから戒厳令で黙らせ、まともさを教え込んだ。おかげで漢江の奇跡は一時の徒花《あだばな》に終わらず、一人前の工業国家に育て上げられた。

盧泰愚はそれを受け、ソウル五輪を成功させ、国連加盟も果たした。

ロストウの見立てたダメな国は3人の軍人大統領によって大きく化けた。

しかしそこはごねる民情の国だ。勝手を言っては暴れる。北朝鮮が支援して光州市で火を噴いた。

武装した市民が警官と衝突し、国軍も制圧に出る血みどろの騒ぎとなった。

厳重な報道管制下だ。何も聞こえてこないときに現地の「T・K生」が「貴重な真実」を日本の雑誌「世界」に報じ続けた。

「全斗煥は空挺部隊員に覚醒剤を飲ませ、全羅道市民の皆殺しを始めた」「タクシー運転手も殺され、女子高生は裸に剝かれて銃剣で刺された」「妊婦を刺し、胎児を投げ捨てた」「虐殺された市民は2000人にのぼった」

T・K生の報告に、例えば西岡力も全斗煥の政治に眉を顰めたと『日韓「歴史認識問題」の40年』にある。

日本人はもっと初《うぶ》だから金大中みたいなのをいい人と思い、「まだ北の方がまし」風の空気すら生まれた。

現場の韓国はもっと酷い。二人の大統領は光州市大虐殺の廉《かど》や他の罪で裁かれ、後に減刑されるが、全は死刑、盧も無期が宣告された。

そして何年かして元在日の池明観が「私がT・K生です」と志村けん風に名乗り出た。

彼は東京女子大で先生をしながら見てきたようなお話を書いていたのだ。それが事実ならまだしも後の検証でＴ・Ｋ生の話はほぼ嘘。市民の死者数は10倍も誇張され、裸に剝かれた女子高生も、殺された妊婦もいなかった。

連載は本多勝一より酷いデマと嘘の塊だった。

池明観の嘘は日本にも影響があった。「北の方がまし」論のせいもあって拉致問題は朝日が一笑に付し、埼玉大教授の吉田康彦が大声で否定して、被害者救出は大きく遅れた。

嘘つき池が先日、死んだ。ベタの亡者記事でも勿体ないのに、朝日は評伝に加え天声人語でこの男の嘘の数々をあたかも真実かのようになぞって見せた。

そんなのを子供に書き写させて楽しいか。

（二〇二二年二月三日号）

沖縄「民の思い」を歪める輩たち

米軍の沖縄攻略戦は昭和20年4月に始まった。

本土を爆撃するB29の発進基地としてだけではなく、米国は戦後の極東戦略の拠点としてここを占領し確保する気だった。

米国領となる地に沖縄インディアンは要らない。制圧は徹底していた。

米軍は戦艦10隻を含む177隻による艦砲射撃で島の形を変えてから18万殺戮部隊が上陸した。

敵は日本軍だけではなかった。ヒトもハブも生き物を皆殺しにし、3分の1だけが生き残った。

浦添や島尻では女も子供も関係なしに村民の3分の2を殺した。

国吉では生き残った村民のうち男は並べて片端から銃殺した。

激戦地の宜野湾市では国際法で禁じられた毒ガスイペリットを大量に使用した。

毒ガスは防空壕にも流れ込んで女子供まで殺した。

イラン・イラク戦争の折にこの糜爛《びらん》性毒ガスを浴びた将兵を野戦病院で見たことがある。被曝した部位は大きく水膨れし、はじけると赤く爛れた肉が剝き出しになる。吸い込むと喉も気管支も爛れる。

苦しんだ末に肺浮腫で死ぬか肝臓の壊死で死ぬか。最も残酷な毒ガスだ。

残留36万の島民のうち12万人が死んだ。3人に一人が殺された計算だ。

蛮行は終戦後も続く。彼らは1万人以上の女を犯した。6歳の永山由美子まで犯され、殺された。

沖縄県人は身内の誰かを殺され、妻も娘も犯された。

その慟哭も聞こえないかのようにトルーマンは「太平洋及び極東戦略を鑑み、沖縄を米国領に編入する」大統領令を出した。

沖縄県民は鬼畜にも劣る連中の同胞に勝手にされて、ともに「Oh say can you see」と歌えというのか。

日本は悪い国だから東京で10万を焼き殺し、広島、長崎に原爆を落としたのは正しいと思えというのか。

そんな偽善の国の民になるなんて真っ平御免だ。俺たちは日本人だ。

米側はそんな思いに頓着なく、まず焼け野原に立派な都市づくりを始めた。名古屋に100メートル道路を作った田淵寿郎を呼んだが、島民は「街中に滑走路を作る気か」と拒んだ。

3代目高等弁務官のポール・キャラウェイは十分な予算を組んで、ハワイやグアムに勝る「豊かで魅力的な米軍基地の島」の建設を企図した。

沖縄政財界はそれも拒んだ。企業助成や新規投資に下し置かれた金はプールして仲間内で処理した。簡単に言えば使い込んだ。

最新の医療機器やストレプトマイシンなどの高価な医薬品は本土に横流しした。

いつまで待っても成果が出ないのを怪しんだキャラウェイが査察を入れ、その不届きを知って激怒した。

琉球銀行の頭取以下全役員をクビにしたが、それでも腹の虫は治まらなかった。

「沖縄の自治など神話だ」と島民への愛想尽かしを公言した。

この顚末がニクソンをして沖縄の米国領化を諦めさせた。「戦略拠点は必要だが抗いをやめない民はいらない」

かくて民だけを返す施政権返還が実現した。

島民の思いは半分実現したが、まだ基地は残る。

で、宜野湾市民が立ち上がった。普天間基地に隣接して小学校を置いた。ある市民は滑走路の先に40メートルの鉄塔を建てた。米軍機が引っかかれば大惨事になる。小学校は燃え、幾多の児童が死に国際非難が集中する。

我が子ですら沖縄奪還の殉教者に供する。民は家族ぐるみで米国と戦っている。

ただ問題はある。本土の連中は未だマッカーサー憲法を墨守し、戦力不保持を補う安保に縋る。沖縄の米軍基地の存在を正当化する根拠にされている。

押し付け憲法を捨て、戦前の強い日本軍の再興を図れ。そして罪深い米国の基地を追放したときに、沖縄の民の戦いは終わる。

しかし中国も手先の在日もそれは望まない。彼らは沖縄の民の味方を装って「米軍基地出ていけ」を叫ぶが、アホな憲法は守れという。それに朝日新聞も立憲共産党も乗っかる。

中国と朝日が乗った「オール沖縄」が惨敗した。民の思いを勝手に歪めたからだ。

（二〇二二年二月十日号）

周恩来と鄧小平の遺言が「散骨」だった理由

日本の歴史学には日本史と中国史と西洋史しかない。その中間は語られない。中国の王朝史は分厚く語られるが、万里の長城の向こう側は往々無視される。それは違うと日本の歴史学者、岡田英弘は言った。

中国も含めたあの辺の歴史はむしろ長城の向こうが原点で、そこに興った民族が西に東に勢力を張って文化を生んだ。

彼らはたまに漢民族の地・中原に入り、例えば殷王朝を建て、青銅器文化をもたらした。

中国はむしろ文化的には辺境の地だった。

殷の次に西戎がきて周を建てた。このとき中国人がちらり歴史に登場する。司馬遷の「史記」が伝える呉王夫差や越王勾践だ。

呉の軍師、伍子胥の話も出てくる。彼は楚の平王に父を殺された。その恨みを晴らすべく呉の軍勢を使って楚を攻め滅ぼす。

しかし平王はすでに身罷っていた。彼は王の墓を暴き、屍を引き出して「鞭打つこと300回」とある。

「史記」にはそういう非常識と奸計と誣告《ぶこく》と残忍さが山とある。中国人の生き様がよく出ている。

そんな連中の争いだから結果はまた外来の東夷の秦に持っていかれる。

それでも無頼漢、劉邦が秦のあと、中国人として初の王朝を建てた。

ずっと外来王朝の奴隷だった中国人は喜び、王朝の名「漢」を自分たちの民族名とした。

彼らはそこで異民族はさて置いて漢民族を飾り立てた正史を書いた。越王勾践と美人の西施を書き、劉邦を称えた。

司馬遷の「史記」と班固の「漢書」がそれだ。

ただ、永遠のはずの漢王朝はすぐ倒れ、またぞろ外来王朝が続く。

再び漢民族の王朝が建つのは1100年後の明まで待たねばならなかった。

自分の国の主にもなれないどころか奴隷にされる。

悔しさをどう紛らわすか。そこは姑息の民だ。

ホントは何の文化もない、辺境の地だけど、ここを文化の中心地、世界の中心地と思い込もう。

その上で「夷狄は力こそあっても文化を持たない人間以下の存在」で、「漢民族は優れた人間で本当の文明を持つとする中華思想を生みだした」（岡田英弘『皇帝たちの中国』）。

岡田はそれを「自尊心を傷つけられた漢人の病的な心理から出た、くやしまぎれの言いわけ」（同）と言う。

そして今、漢民族としては明に次ぐ3度目の共産党王朝を樹立している。

習近平は「偉大な中華民族」という「言い訳」を繰り返すが、その中華民族が昔の「嘘つき漢民族」と変わらないことを周恩来が身をもって示している。

彼は毛沢東を30年支えながら、膀胱がんの治療も許されず憤死した。

遺言は一言「散骨しろ」だった。

墓を作れば、現代の伍子胥が必ず出てくる。掘墓鞭屍の屈辱だけは御免蒙りたい。鄧小平も同じ。遺骨は海に撒かれた。

二人は今の中国人の虚言癖から誣告好きから残酷さまで、漢民族と名乗っていたあのころから何の進歩もないことを確信していた。

外来民族の文化を「わが民族のもの」に改竄して恥じない習近平も「変わらぬ漢民族」を証明する。驚くのはそんな中国人に迎合する日本人が多いことだ。

例えば偽りの歴史の創始者、司馬遷を崇めて「彼には遠く及ばない」という意味の名を名乗る者もいた。

ニトリの会長は「日本人の祖先は中国人」で「中国人の血を引くから知能が高い」（テーミス2月号）と言う。「日本は中国なしで生きていけない」とも。

遺伝子はその説を全くの嘘と証明しているし、中国人はいない方がむしろいい。

ウイグルのジェノサイドで名指し批判を避けた岸田文雄は「苦しいときに手を差し伸べてくれた」と東京タワーを赤く照らして春節の祝辞を送った。

中国は偽りの歴史を振り回して日本にたかり、日系企業の焼き討ちもやった。

国民の89パーセントは彼らの意図を知り、嫌っている。

石原慎太郎も「支那で儲けようと思うな」と遺言したじゃないか。


（二〇二二年二月十七日号）

ガダルカナル島にのさばる中国

ちょっと前のニューヨーク・タイムズに「ガダルカナル島で再びの攻防戦」とあった。「再びの」とはもちろん先の戦争で日米の壮絶な戦いがあったことを指す。

この島は米豪を結ぶ戦略ライン上に位置する。日本がここを取れば豪州を孤立させ、太平洋での戦いを有利にできる。だから米国は6万もの将兵を送り込んで日本軍を駆逐した。

そこに今度は中国が出てきた。ソロモン諸島の首都ホニアラにはすでに中国資本のビルが建ち並び、夥しい中国人が移り住み「中国人の島になる」と地元民は悲鳴を上げる。

中国はまたその辺の海域に海底ケーブルを巡らせる。それは米原潜などを感知する機能も備えているという。

米豪の戦略ラインは70年前より危ない状況にあると記事は伝える。

ガダルカナルは日本軍が初めて敗北を喫した戦場でもある。そんなところに中国人が我が物顔で割り込んでくることに些かの腹立ちも覚える。

で、犯される戦跡を訪ねる旅を宮崎正弘、福島香織らと計画した。彼女はスキューバもやる。海の底に眠る日米の沈船を一緒に見る手筈も整えた。

さあ、というときに武漢コロナが撒かれた。

ソロモン政府はイの一番に日本人の入国を拒否した。「日本が発生源」という中国の流した風説のせいだ。

コロナ禍はもう一つ、ガダルカナルから最後に帰還した鈴木和男主計少尉の取材も阻んだ。虎ノ門の老舗文具店の跡取りだった少尉は慶応を出て間もなく第38師団に配属され、南中国に出た。

戦歴がすごい。開戦の日は深圳からの香港攻略戦に加わった。九龍要塞線は「突破には3カ月はかかる」と英側は予測したが、たった1日で陥落した。

香港島もすぐ落ちてクリスマスにはあのペニンシュラホテルの3階で降伏調印式が行われている。

明けて昭和17年2月にはパレンバン攻略戦に参加し、蘭領東印度を押さえた。

しかし勝ち戦はここまでだった。同年秋、ラバウルに移駐する。最終目的地はガダルカナルだった。

米軍はすでにその夏、ガ島に上陸し、日本軍主力を葬り、救援の一木支隊、川口支隊も全滅していた。

最後の増援に鈴木少尉の部隊が選ばれた。しかし11隻の輸送船団はソロモン海で米軍機に襲われ、ほぼ全滅。少尉は奇跡的に後方へ逃れられた。ガ島への増派はもう終わった。

そのころのガ島では椰子の実も野ネズミも取り尽して食べるものもなかった。

まさに「餓島」と変じた12月末、少尉はまさかのガ島再上陸命令を受ける。

食糧や弾薬などの差配は主計士官が担当する。ところがガ島守備部隊の主計将校が戦死や病でみな任に堪えず、誰か出せという。

誰が行っても調達する食糧品も弾薬もない。しかし欠員があれば補充するのが軍隊というところだった。

12月29日、伊号第31潜水艦で5人の主計将校がガ島カミンボに上陸した。

鈴木少尉はその時の体験を書き残している。そこには病で倒れ、食べるものもなく生きたまま腐っていく将兵の幽鬼のような姿が描かれている。

そして1カ月、まさかの撤収命令が届く。日本軍は「ルンガ岬に逆上陸」を打電し続け、その隙に別のエスペランス浜から脱出するという計画だった。

米軍の執拗な攻撃はあった。それでも投入した全将兵3万余のうち1万余人が生還できた。

キスカ同様、日本側の作戦勝ちだったのか。１０３歳の少尉にその辺を再取材する予定だったが、それもコロナ禍で果たせなかった。

少し後に天寿を全うしたと聞いたが、帝国ホテルでの偲ぶ会もコロナでお流れになった。何もかも中国が悪い。

新聞報道によると中国寄りのソロモン政府への民衆の抗議は激しく、中国人街も焼き討ちされたという。

中国は公式に警察隊を派遣、中国嫌いの島民を抑え込むとか。中国人どもはガ島はもう我島の気だ。

日本軍の戦跡に傲慢な中国人は似合わない。


（二〇二二年二月二十四日号）

歴代大統領が命じたホロコースト

16世紀、今の中米にやってきたスペイン人はそこに棲むインディオを何の躊躇いもなく殺した。

それはカナンの地に入ったイスラエルびとの振る舞いと同じだった。

彼らは先住のミディアンびとをただ制圧するだけではなかった。

「（子種を持つ）男は赤子に至るまで殺せ。（孕んでいる可能性のある）人妻も殺せ」とモーゼは命じた。民族淘汰の形だった。

「ただ処女は神からの贈り物。だから殺さず楽しむがよい」

スペイン人もモーゼの言葉に従い、インディオを皆殺しにした。ハイチのあるイスパニョラ島には300万先住民がいたが、金鉱で酷使し、気付いたら「200人しか残っていなかった」（ラス・カサス『インディアスの破壊についての簡潔な報告』）。

インディアスが消滅した後この無人の島に来たフランスは黒人奴隷を入れて働かせた。ハイチが黒人の国になった理由だ。

スペイン人はモーゼに従いインディオの処女を弄んだ。生まれた混血児はメスチソと呼ばれ、例えばメキシコでは人口の6割を占めている。

北米にきた英国人もモーゼの言葉に従った。

メイフラワー号できた清教徒はワンパノアグ族の厚意で冬を越し、トウモロコシの栽培も教わった。

学び終わると彼らの土地を奪い始めた。

酋長が拒むとモヒカン族に武器を与えてワンパノアグを叩きのめした。酋長は八つ裂きにされ、その頭は20年間もプリマス港に晒された。酋長の家族は奴隷商人に売られた。

英国人はチェロキーやモホークも手懐け、その他のインディアンと戦わせた。大方のインディアンをやっつけるともういらなくなったチェロキーをジョージアからオクラホマまで追放した。

最後に残ったスー族は領土を取り上げられ、代償のはずの食糧配給も止められて暴動を起こした。

リンカーンはそれを待ってスー族に宣戦布告し大軍を投じて殲滅した。

38人の酋長は巨大な処刑台で一斉に吊るされた。生き残りのスー族はミネソタ川の中州パイク島に隔離され、大方がそこで死んだ。

カナダは同化政策と称して先住民子弟を寄宿舎に入れたが、中はアウシュビッツだった。モーゼの言う「子種を持つ子供」は躾の名で殺された。

先日、そんな寄宿舎の跡地から751人分の子供の骨が見つかった。

米大陸でどれほどの先住民が殺されたか。3000万は超える甚大なホロコーストだったはずだ。

その淘汰には歴代米大統領が関与した。中でもリンカーンはインディアン戦争最後となるスー族撃滅にGOを出し、酋長の一斉処刑も彼が命じた。

興味あるのは、その1週間後に彼は黒人奴隷解放を宣言している。

「黄色は殺せ」。「黒には自由を」。この差は何か。

答えがないまま先日のニューヨーク・タイムズ（NYT）はニコル・ハンナ＝ジョーンズの「米国史は1776年ではなく1619年に一隻の奴隷船が入った日に始まった」という論文を載せた。

以降、「米国史は黒人迫害を軸に紡がれた」とするキャンペーンを展開、白人警官に殺されたジョージ・フロイド事件もあって米社会は大混乱に陥る。

人権運動「BLM」はリー将軍だけでなくリンカーン像もぶち壊し、略奪も暴行もやり放題だが、警察も手を出せない。

混乱を生んだNYTはなぜかピューリッツァー賞を貰い、キャンペーン報道は高校副読本にもなった。

同紙の社説にはひたすら黒人残酷物語が載せられ、無名だった黒人論説委員のJ・ブイは今や売れっ子だ。先日も「奴隷船から200万人も海に捨てられた」と告発していた。

確かに沿岸の監視船に捕まる前、鎖に繋いだまま海に投棄したケースは結構あった。

しかし黒人奴隷は生かして売るのが目的だ。

対して黄色いインディアンには生かすという選択はない。米国史はまさにその先住民殺しから始まり、それで不足した労働力を補うべく黒人奴隷を入れた。

こっちが黄色だから言うわけじゃないが、黒人虐待だけを問題視し、それ以上の残虐さで淘汰した黄色殺しを無視するのはいかがなものか。


（二〇二一年三月三日号）

第三章　「負け組」プーチンが北方領土を返す日

赤軍派の主張は「菜っ葉の肥やし」

新聞記者の第一歩は水戸支局だった。そこでまず教わったのが「菜っ葉の肥やし」だった。菜っ葉は下肥《しもごえ》や追肥《おいごえ》はいらない。掛け肥《ごえ》だけ。

「少なくとも県外」とか「掛け声だけ」勇ましいのを当て擦る言葉だ。いい表現だと思って東京本社に上がったら誰もそんな言い方をしていなかった。あれは農業県だけの言い回しなのかもしれない。

それでも当時の過激派の主張には「菜っ葉の肥やし」的なのが多かった。

例えば猫を被る宮本顕治が許せなくて飛び出した京浜安保共闘だ。

「革命は銃口から」に従ってまず真岡の銃砲店を襲って散弾銃や空気銃計11丁を手に入れた。

赤軍派はもっと気宇壮大で、海外に軍事訓練基地を置くことから始めた。

で、その資金調達に船橋の郵便局を襲って1万5000円を、次に世田谷でひったくりをやって3万8000円を得た。

菜っ葉の肥やし風に見えるが気は天を蓋《おお》った。両派は僅かな軍資金と僅かな銃を持ち寄って榛名山のアジトに集い、連合赤軍を結成した。今からちょうど50年前のことだ。

赤軍派の頭は森恒夫だった。とても臆病で、加藤登紀子の亭主藤本敏夫と別のセクトに捕まったときは「殴らないで。何でもするから」と泣き伏した。

内ゲバも逃げ回ったくせに激しやすい。菅直人にそっくりで田宮高麿に「森はダメだ」と言われた。

京浜安保共闘は永田洋子が頭で、彼女はあまり美貌ではなかった。その僻みが森とマッチングした。

その野合集団について「化粧をしたとか些細なことで共産主義に目覚めていないとリンチされた」と天声人語が書いていた。

それは違う。共産主義社会では女は男の性の捌け口でしかない。だから両派とも女は準会員扱いだった。だから綺麗な子が多かった。

永田洋子以外みな化粧もしたし、キスもすれば男と一緒に寝てもいる。

天声人語は男女の戦士が戯れるのを「幹部が（共産主義化が）不十分だとみなしたメンバーに暴行を加えた」と続けているが、それも違う。

永田が特定の女を僻んで名指しし、森が同調して相手の男ともども総括対象にしたと、死刑囚監房にいる坂口弘が『あさま山荘1972』に詳述している。

森と永田が最初の総括対象を決めたのは1971年12月27日。榛名山アジトに入って僅か1週間目だった。

坂口によると、その日、小嶋和子とキスをした加藤能敬を森が「殴って総括する」と言い出した。「殴って気絶させる。気絶から覚めた時には別人に生まれ変わって真の共産主義化を受け入れる」と。そんなことレーニンも宮本顕治も言っていない。

実は森には北野高校時代、剣道の試合で気絶した経験があった。

「気絶から覚めたとき何もかも清々しかった」

森はそれを共産主義の名で殴る正当な理由にした。

永田「どのくらい殴れば気絶するの？」

森「顔が2倍に膨れるまで殴れば気絶するだろう」

永田は再度「本当に気絶するの？」

森が頷き、加藤能敬のリンチが始まった。小嶋和子も尾崎充男も殴られた。

しかしどんなに殴ってもヒトは気絶しない。

坂東國男は鳩尾《みぞおち》を殴れと言った。時代劇の当て身だ。映画ではすぐ気絶する。尾崎は何度も腹を殴られ、夜明けに死んだ。

「殴っても気絶しないどころか死んでしまった」と坂口は驚愕する。しかし森と永田の虚勢は止まらなかった。妊娠8カ月の金子みちよに至るまで2カ月間に12人を殺したところで組織は崩壊した。

宮本顕治も含めて未熟な男たちが共産主義を語っては平気で人を殺してきた。

それが教訓のはずの事件だが、天声人語は共産主義の狂気ではなく、旧日本軍に重ねて納得する。トインビーはその日本軍を「白人植民地帝国主義を打ち砕く歴史的偉業を成し遂げた」と評価する。

未熟者には殺しはできてもコラムは難しい。

（二〇二二年三月十日号）

プーチン非難の大合唱に隠された真実

永井陽之助の『歴史と戦略』は人間のミスや思い上がりが先の戦争を引き起こした要因だったという。

ただ、それを犯したのはみな日本側だけ。例えばルーズベルト（ＦＤＲ）が日本を嵌めたとかの陰謀説は「戦後の対米コンプレックスの産物」と言い切る。

英米側には何の落ち度も悪意も企みもなかったと。

その上で「双方の政治指導者、世論がもう少し賢明だったら先の戦争は避けられた」と続ける。

日本の愚かな政治指導者の思い上がりゆえの戦争だったとしか読めない。

しかし歴史を見ると近衛文麿は何度も米国に首脳会談をせっつき、ＦＤＲはそれをずっと無視し続けた。

おまけにＦＤＲは西海岸にあった米太平洋艦隊基地をその時期、わざわざハワイの真珠湾に移駐させた。日本軍が襲ってきても救援の戦闘機すら辿り着けないところだ。

ＦＤＲはまた、チャーチルに日本の暗号を解読したこと、それで「日本軍は南に向かう」とも伝え、英国は九龍とマレーに要塞線を急ぎ築いている。

最強の戦艦プリンス・オブ・ウェールズも密かにシンガポール港に入り、１週間後の真珠湾を待った。近衛よりＦＤＲの方がやる気満々だった。

残るは世論だが、米国には世論操作機関として広報委員会（ＣＰＩ）があった。

国務長官と陸、海軍長官、それに新聞界代表の計４人で構成する組織だ。第１次大戦時に米国を参戦させるために隠密裏に作られ、フェイクニュースを流し続けてみごとにその役割を果たした。

組織は第１次大戦後も存続した。目的は中国からの日本追放だ。現地で反日抗争をやらせ、タイム誌以下、米メディアは反日を囃し立てた。

日本租界が重装備の中国軍に一方的に攻撃された第２次上海事変後の世論調査では親中が76パーセント、親日が１パーセントと冗談みたいな大差がついていた。

「何をやっても日本が悪い」が行き渡ったところでＦＤＲが「日本は黴菌《ばいきん》」と誹謗するいわゆる隔離演説を行った。

永井の言説と違って戦争は国家が総力を挙げて仕組んでいることが判る。

永井は日本軍の仏印進駐も「米国を怒らせた」と非難するがこれもヘンだ。日中戦争たけなわのときに、米国は英国と一緒に重慶の蔣介石政府に裏口からカネや食糧、軍事物資を送り込んでいた。

日本側はその援蔣ルートを断つべく仏政府の了解を取ったうえでベトナムに入った。いわゆる北部仏印進駐だ。何の違法行為でもない。

ところがＦＤＲはそれが許せないと横暴にも対日石油禁輸を断行した。

おまけに同じ時期、米国は対独戦の参戦前なのにデンマーク領のアイスランドに派兵、占領をしている。

デンマーク陥落を理由にドイツがこの島を取れば大西洋の艦船の航行が一挙に危うくなる。それは分かるが、だからと言って非参戦国が軍を派遣し、第三国を軍事占領していいことにはならない。

永井はそういう米国軍の国際法違反行為は一切、見ようとしない。

そのくせ日本軍が仏政府の了解を得た進駐を「いたく米国を怒らせた」と、大きな誤りのように言う。まるで米国の意に添わないことが悪いと思い込んでいる。

そういう度し難い米国の苛めがあって、日本は絶海の孤島にある真珠湾を襲う気になった。

喧嘩を仕掛けた米国は日本の暗号をとっくに解読していた。奇襲の48時間前までに真珠湾にあった空母ヨークタウンと同レキシントン、それに新鋭の巡洋艦群が夜陰に紛れて消えていった。残るは次の演習で標的艦として沈められるはずの戦艦ユタとか老朽艦ばかりだ。

日本を見事に嵌めたＦＤＲは笑いをこらえて「卑劣な日本」に宣戦布告し、全米はＣＰＩの音頭で日本非難の大合唱に覆われた。

永井の本に一つだけまともな話がある。それはハーバード大で日本人学生がＦＤＲの対日石油禁輸を語ったら米国人学生は誰一人知らなかった。日本が戦争を始めた理由が初めて分かったと彼らが言ったという。勿論ハル・ノートなど誰も知らなかった。

情報を伏せ、非難の大合唱で真実は隠す。これが彼ら米国人の戦争の形だ。

プーチンがウクライナに侵攻した。それを統率の利いた国際非難が押し包む。

ただプーチンがそこに至る経緯が全く出てこないのが不思議だ。世界の知らないＮＡＴＯ版ハル・ノートでもあるのかしらん。

（二〇二二年三月十七日号）

プーチンの敵は十字軍気取りのＮＡＴＯ

ロシア人の歴史は涙なくしては語れない。

生い立ちは奴隷で、ローマ時代からボルガ川辺りで狩られては欧州に積み出されていた。民族名スラブ（Slav）から slave（奴隷）という言葉が生まれている。

でも奴隷にも意地がある。やがて彼らは国を建て、蛮人でない証にキリスト教も信じたが、それはローマンカソリックが嫌ったギリシャ正教だった。

後に大きな不幸を招くことになるが、その前に別の不幸、モンゴルの来襲を受けている。彼らは街を焼き、キリスト教の司祭は教会の中で火炙りにされ、男は殺し、女は犯した。

モンゴル人の血がロシア人に濃厚に混じる。ロシア版のメスチソと言っていいか。それでアジア人系の風貌をした「レーニン顔だらけになった」（古田博司・筑波大名誉教授）。

因みにウクライナの北は湿原地帯が広がり、モンゴル騎馬兵を阻んだ。その向こうのベラルーシ（白ロシア）はおかげで侵犯されなかった。純白のまま。それを祝して国名にした。

奴隷民族という出自に加えてアジア人の凌辱という屈辱はきつかったが、彼らはそれを懸命に乗り越えた。

プロイセンから来たエカテリーナ2世の努力もあって「東外れの白人大国」と呼ばれるまで持ち直したが、それを日本が挫いた。

最強と言われたロシア陸軍は錦州、遼陽、そして奉天の戦いに連敗して潰走した。

海でもウラジオストク艦隊、旅順艦隊、バルト艦隊のすべてが沈められた。

セオドア・ルーズベルトが割って入って1銭の賠償も払うことなく、何とか白人国家の面子は保たれたが非白人国家に完敗した白人国家という汚名は消えることはなかった。

ブレジネフの時代にモスクワに特派員で来たニューヨーク・タイムズのヘドリック・スミスは著書『ロシア人』の中で「彼らは感情の表現が今いちで、白人が最も大事にするヒューモアのセンスにも欠ける」と書いた。

白人国家の末席以下風に見下している。

20世紀。ロシア人は共産主義にすがって東西冷戦の一方の雄に成り上がった。しかし、それも長続きはしなかった。ベルリンの壁が倒れただけで、ソ連邦自体まで消えてしまった。

1・1ドルした1ルーブルは今、日本円で1円以下だ。

ロシアはワルシャワ条約機構軍を解散するに当たり、西側に「無用になったNATO軍を解散したら」と言った。敵が消えたのだからそれも選択肢だ。

しかしローマンカソリックの十字軍を気取るNATO軍は言を左右にする。NATOの究極の敵はギリシャ正教を信ずるロシアだと思っている。

ロシア側は自らこけた弱みもある。結局NATOの存続を認め、ただし「東独より東に勢力を拡大しない」「加盟国でもない国への出動はしない」ことを約束させた。

ところが、その舌の根が乾かないうちにNATOはポーランドの加盟を言い出し、チェコやバルト三国まで取り込みを始めた。

おまけにカソリック系のクロアチアとギリシャ正教系のセルビアが内紛を始めると、NATOは「セルビアがイスラム教徒を虐めている」と言い出して軍事介入を決めた。両国ともNATOの非加盟国だから介入は明白な越権行為だ。

それどころかNATO軍はセルビアの首都を空爆し、同国の大統領は戦犯として旧ユーゴ国際刑事裁判所に起訴されてしまった。NATOは中国と同じだ。約束は守らず、力で押せるならどんな横暴もやることを見せつけた。

もう一つNATOはイスラムよりギリシャ正教を嫌っていることも分かった。

そのNATOがロシアとの最後の緩衝地帯ウクライナに手を付けた。

ここは昔ポーランドが支配して西半分はカソリックに改宗している。NATOには取り込み易い国だ。

おまけにウクライナ政権の中枢にはポグロム（ロシア人のユダヤ虐殺）を根に持つユダヤ系反ロシア派が多い。プーチンが暴挙に出ざるを得ない状況だった。

日本は人道的見地とかもっともらしい口実でいいから、とにかくプーチンを徹底して叩き潰す側に回りたい。

そして北方四島を取り返し、60万日本人を使役した償いをさせたい。

（二〇二二年三月二十四日号）

李承晩に節操は欠片もなし

李承晩はいい出自だと本人は自慢していた。

ただ血筋はよくとも実際は没落両班の貧しい子弟でしかなかった。いい生活がしたければ科挙に受かるしかない。受かれば領地が貰え、領民を好きに搾って思うままの贅沢ができる。

因みに中国の科挙合格者は一代限りの栄華だが、朝鮮は孫まで三代も領主でいられた。孫の代はこれが最後だから収穫は根こそぎ持っていった。あの民族性だ。情け容赦はない。翌年の播種用の米も持っていっただろう。

李承晩もそれを夢見たが、さあ試験というときに日清戦争が起きた。科挙の制は以後、廃止されてしまった。

しょうがない。英語塾に通いながら、閔妃に振り回される高宗の優柔不断を謗《そし》り嘆いていたら、それを告げ口された。

それで牢に繋がれ、拷問で両手の指の爪も剝がされた。

日露戦争が始まると高宗は日本牽制のため米国との誼《よしみ》を築こうと考えた。

英語屋を探して獄中にいた李承晩を見つけた。彼は囚人から一転、李朝代表として米国にいく。

しかし米国はこの厄介な国の相手をする気はなかった。その厄介さに目をつけてこの国を日本に押し付け、国力を削ごうと思いを致し、日露戦争後に在朝鮮の米公館を閉じてしまった。「白人には白人の重荷がある」「日本人も黄色い重荷を背負おう」とセオドア・ルーズベルトはキプリングの口真似をして言った。

日本嫌いの李承晩はホノルルに逃げた。そこでは「日本人です」と名乗った。節操は欠片もなかった。

そんな人物が戦後、韓国初代の大統領になった。

みな首を傾げたが金日成は大喜びした。昭和25年6月、北朝鮮が南に攻め込み朝鮮戦争が始まった。李承晩は戦争を米軍に丸投げして釜山に逃げた。

米軍は困った。「どうでもいい国」（アチソン・ドクトリン）のために米軍将兵がばたばた戦死していた。

トルーマンは米兵の代わりに日本兵を使おうと思った。そのために「日本を独立させ、再軍備させる」ように命じた。

かくてサンフランシスコ講和会議の準備が始まると李承晩はマッカーサーに「韓国を戦勝国として参加させる」よう求めた。

それで日本から賠償金を取るつもりだった。

しかし答えは「お前らは戦勝国人でも敗戦国人でもない。第三国人だ」だった。

賠償をただ取りする手だてを失うと李は日本に直に日帝支配の謝罪と賠償を求めた。吉田茂は「感謝されこそすれ、賠償はなかろう」と相手にもしなかった。

ならばと李は日本海に海洋資源保護の名でいわゆる李承晩ラインを引き、竹島を奪い日本漁船を拿捕して漁船員を人質に取った。

それを交渉材料に李承晩は昭和28年1月、訪日して吉田茂に賠償交渉を迫った。会談では冒頭、李が爪のない指を見せ「日本軍がやった」と嘘をかました。

吉田は蔑み、答礼も断って翌昭和29年、不法残留韓国人の追放と韓国艦艇の武力撃退を命じた。

李は震え上がる。急ぎ日米韓不可侵条約を提案して米国のスカートの中に潜り込んだ。

それから間もなく李承晩は韓国人からも見放され、息子一家は心中し、本人は再びホノルルに亡命した。今度は日本人名を名乗らなかった。

戦後、日本の領土を奪った悪い国が3つある。

一つは米国。太平洋の戦略要衝として沖縄を取った。無抵抗の島民12万を殺したが、米軍側も7万5000人死傷という代価を払った。

そしてソ連。実に汚い国で、日本の降伏を待って千島と北方四島を盗った。

それでも出だしの占守島で3000人が戦死したうえ「ロシア人は薄汚い火事場ドロ」と今も蔑まれる。

しかし韓国だけは無傷で竹島を盗った。その反省もなしに5億ドルの援助を受け、漢江の奇跡を作ってもらい、中曽根に40億ドルを融資させ……と好きにたかってなお「心から詫びていない」と毒づく。

素直に日本に「心からの感謝」を述べ、竹島を早々に返還したらどうか。

プーチンが火事場ドロを詫びて北方四島を返してからでは遅すぎると思わないか。


(二〇二一年三月三十一日号)

米は毒ガス、露は毒薬がお好き

米国人が崇める神ヤハウェは強欲の塊だった。

東部13州だけじゃ狭いと神は不満を垂れ、周りをどんどん取れと米国人に命じた。いわゆる神聖な使命《マニフェストディスティニー》だ。

で、米国人は隣のメキシコ領テキサスに目を付けた。

手順はまず腰を低くしてテキサスへの入植を乞い、地代も払いますと約束した。

メキシコは受け入れた。ただ「我が国は米国とは違って民主国家だから黒人奴隷を連れ込んではダメです」と諭した。

それで2万５０００人が入植したが、彼らは地代も払わず、おまけに５０００人もの黒人奴隷を入れていた。

メキシコ大統領サンタアナが約束違反を責めると入植者は「ではテキサスの独立を住民投票で決める」と言い出した。

この地のメキシコ人住人はたった4000人。米国側は黒人奴隷票だけでも独立できた。

サンタアナは怒る。独立派が籠るアラモ砦を包囲し2週間の猶予の後、攻撃して250人を殺した。その間、米国は政治交渉も救援もせずにとぼけ通し、全滅の知らせを受けると「リメンバー・アラモ」を叫んで大軍を送り込んだ。

米軍はサンタアナを捕らえ、その命と引き換えにテキサスを手に入れた。

日本より広大な領土を250人見殺しで入手するのは悪い話じゃないと強欲な神さまが仄めかしたのだろう。

バイデンがロシアのウクライナ侵攻を予言し、それが当たった。

認知症を疑われる彼でもそこまで読めたのは、実はプーチンの作戦がアラモと同じ手順を踏んでいたからだ。

発端はウクライナ領内のロシア人地区ドネツク、ルガンスクでウクライナからの独立を問う住民投票が行われ、賛成多数で独立が宣言されたことだ。

ウクライナ政府は怒ってサンタアナと同じに軍を出し、独立派の勝手を抑えた。それで1万余のロシア系住民が殺されたという。

ここまではアラモと同じ展開だ。で、プーチンは「リメンバー・ドネツク」を叫んで攻め込んだ。

バイデンは「我が国がテキサスを取ったのと同じ手法だ」と思ったわけだ。

ただサンタアナに当たるゼレンスキーは未だロシアの手に落ちていない。つまりアラモ通りにはいかなかったのが現状だ。

バイデンはまた「ロシアは近く化学兵器を使う」とも予言した。

米国人は毒ガスが大好きだ。先の大戦では国際法で禁じられた毒ガス、イペリットを密造し、うち60トンを貨物船ジョン・ハーベイ号でイタリアのバーリ港に運びこんだ。

ところがその港を独軽爆ユンカースの大群が襲って貨物船は被弾。毒ガスが漏れ出し、米兵83人が死亡、同５００人以上が失明などの重傷を負った。

沖縄戦でも使った。

米軍側は特攻機の攻撃もあって7万５０００人以上の死傷者を出し、おまけに米司令官サイモン・バックナー中将が直撃弾を食らって戦死した。

これで米軍側はブチ切れ、宜野湾市でイペリットを撒き散らし、女性や子供を含む数百人を殺した。

その辺がちょうど今のプーチンの心理状況と同じだとバイデンは見た。

因みに米軍は戦後もイペリットを捨てていない。沖縄返還のほんの少し前には知花弾薬庫でイペリット漏出事故が起きている。

当時、知花には150トンもの毒ガスを持っていたことが米紙によってすっぱ抜かれている。

それでも米軍は毒ガスをやめられない。「1980年代、イラクのサダム・フセインに毒ガス製造プラントを提供した」とニューヨーク・タイムズが報じた。西独が下請けしてバグダッド近郊にプラントを建設、製造も手伝ったと。

こちらはその当時テヘラン特派員に出ていて、アフワズの野戦病院でイペリットを浴びて苦しむイラン人将兵を多く見ている。

それが米国製毒ガスだったと知ったら彼らも死ぬに死ねなかっただろう。

ロシアも毒にはマニアと言えるほどの凝り屋で、ノビチョクとか暗殺用毒物では大先達国家だ。

バイデンの予言がただの老人の妄想と言い切れないところがおっかない。

（二〇二二年四月七日号）

南京大虐殺のウソを見抜いた中国人女性たち

南京大虐殺という壮大な虚構は中国人が考え出した風に言われる。

それはない。中国人は物真似はうまくても、そういう発想力はない。

いやいや蔣介石は英紙特派員ハロルド・ティンパリを使って南京大虐殺を書かせたじゃないか。

それも違う。彼は実は米オピニオン誌「アジア」での活動が長い。

同誌はパール・バックの夫リチャード・ウォルシュが経営し、反日プロパガンダを指揮する米広報委員会（CPI）の傘下にあった。

CPIは国務長官、陸海軍長官、新聞界代表の四者で構成し、中国派遣の米紙特派員や宣教師連中を使って反日宣伝をやらせていた。

西安事件の折に宋美齢と現地に飛んだニューヨーク・ヘラルド紙のウィリアム・ドナルドもその一人で張学良を脅して蔣介石を解放させている。

状況証拠だけだが、このときドナルドは「米国は蔣介石を選び、中国に満洲もモンゴルもくれてやった。約束通り日本を叩け」と米大統領フランクリン・ルーズベルト（ＦＤＲ）の言葉を伝えた。

蔣介石はこのあと盧溝橋事件を起こし、通州で邦人２５０人を虐殺し、とどめに上海の日本租界を6万精鋭中国人部隊に攻撃させた。

ＦＤＲの思惑通り、日本は中国との泥沼戦争に飲み込まれ、南京、武漢へと戦線を伸ばしていった。

ＦＤＲはＣＰＩを通じ「悪い日本が善良な中国を侵略する」宣伝をやらせた。南京陥落も材料にした。

米紙特派員はそろって「数千人が殺され、女は暴行された」と報じた。

宣教師マイナー・ベイツも神に仕える身でありながら「中国人が山と殺された」と東京裁判で偽りを並べ立てた。いい死に方はしなかっただろう。

しかし折角の米国製南京大虐殺話は、当の中国人ですら嘘が過ぎると興味を示さなかった。

その後、米国は広島、長崎に原爆を落とす。無辜の市民20万を殺し、その相殺材料に南京を再度持ち出さねばならなかった。

まずは朝日新聞がＧＨＱに言われた通り「南京市内で四週間に2万人が殺され、切り刻まれた肉片が散乱していた」（昭和20年12月8日）と報じた。

その当時、現場にいた同社カメラマンは日本兵と並んで笑顔を見せる市民や子供を撮っていたというのに。

しかし原爆と相殺するのに2万は少なすぎる。で、東京裁判判決では一気に一桁上の20万人にした。これで2発の原爆で殺された非戦闘員殺しと相殺できるだろう。

まともな学者なら一桁上げに首を傾げるが、そうでない学者が多かった。一橋大の藤原彰や都留文科大の笠原十九司らは20万を積極的に支持した。

尤も藤原は朝日が持ち込んだ煙幕写真に「そうです。これが日本軍の毒ガスです」と志村けん風にコメントした。それで嘘つき教授の正体がバレてしまった。

笠原も日本軍に守られて家路につく女性たちのアサヒグラフの写真を借用して「日本軍に拉致される江南の女たち」「凌辱され殺された」と書いた。彼も嘘を厭わない。

しかしODAが欲しい江沢民は「30万人」まで増やして、南京記念館に30万の文字を入れ、定着させた。

信じられないことに上海震旦職業学院の女性教師、宋庚一がつい先日の授業でそれに疑問符を付けた。「30万人を裏付けるデータなど何もない」「憎しみ続けるべきではない」と。

南京は架空だし、数字も架空なのだと教えた。

それを生徒が隠し撮りしてネットにアップしたら彼女は即座に「解職された」（人民日報）。

騒ぎは続く。宋庚一の身を案じる湖南省の女性教師、李田田が「彼女の主張を支持する」「告げ口した生徒の方を罰せよ」とSNSで主張した。

そしたら官憲が飛んで行って李を捕まえ「家族の承認を取って」（読売）精神病棟に放りこんだ。

中国には立派な女性がいたことに驚く。

対して南京大虐殺を喧伝してきた朝日は彼女らの顛末を一切載せていない。

逆に藤原彰の弟分、吉田裕を出して自虐史観万歳を再確認していた。新聞を名乗って恥ずかしくないか。


（二〇二一年四月十四日号）

プーチンは習近平にウクライナ侵攻を伝えたか？

1975年春、カンボジアの首都プノンペンがポル・ポト派に制圧された。

170万人殺戮のキリングフィールドが始まった日、朝日新聞は「アジア的優しさを湛えた社会主義国家の誕生」（和田俊特派員）と書いて、笑われた。

尤も他紙も、温和なカンボジア人がなぜこんな酸鼻に酔ったのか、まともに説明もできていなかった。

宮本顕治は同志小畑達夫を裸にして針金で手足を縛《いまし》めて錐で睾丸を突き刺し、硫酸を浴びせて殺した。共産主義者が共通して持つ残忍さゆえだとしても、まだ十分条件には遠い。

和田特派員を誤報に導いた「仇敵ロン・ノル派の兵士とポト派の少年兵の笑顔の交歓」も理解できない。

それは何か。3年後にベトナム軍の先頭に立ってポト派を追った現カンボジア首相フン・センの素性が明らかにしてくれた。

彼は華人の父とカンボジア人の母の間に生まれた合の子だ。

そして彼が大隊長を務めたポト派の主張は「カンボジアをカンボジア人（クメール）の手に取り戻せ」だった。

誰の手から取り戻すのかは仏印時代に遡る。

フランス人はベトナムを植民地にすると、苛酷な税の取り立てを華人にやらせた。華人はベトナム社会をほぼ牛耳った。

フランスはカンボジアを支配するに当って今度は華人でなくベトナム人を使った。役人の9割がベトナム人だったと史料にある。

先の戦争で日本はフランスを含む白人宗主国をアジアから叩き出した。

主がいなくなるとベトナムでは華人がのさばった。サイゴンの西隣りには70万華人だけが住む豊かな街ショロンができて大いに栄えた。

ベトナム人は戦後、戻ってきたフランスと戦い、支援する米国とも20年戦って1973年、撤退させた。

しかし彼らはもう2年間、南北統一のために戦い続けた。完全勝利を収めるや今度は、のさばっていた華人を追放して財産を没収した。

世に言うボートピープルは稼いだカネを懐に逃げ出していく華人の群のことだ。

マクナマラがそれを見て気づいたように、ベトナム戦争は中国人を含む外国人を追い出して祖国を取り戻す民族戦争だった。

カンボジアも実は同じで、いつの間にかこの国を牛耳っていたベトナム人を粛清するべくクメール人のポト派が立ち上がったのだ。

ベトナムを憎む毛沢東がそれを支援した。彼らしい遠交近攻策だった。

ただ問題もあった。カンボジアにも華人が入り込んでベトナム人と同様に民の膏血を啜《すす》っていた。

「彼らを避難させるべきか」と自身も華人の合の子のポト派ナンバー3、イエン・サリが毛沢東に聞いた。

毛は一言「やっちまえ」と言った。妙に華人を庇い立ててキリングフィールドに中国が関与していることを明かしたくなかったからだ。

それで数万と言われた在カンボジア華人の運命が決まった。

ポト派はあの日から、都会で優雅に暮らすベトナム人や華人を下放し、審問して最後は妻や子供と一緒に処刑場に並べて鍬《くわ》の刃で頭をかち割って殺した。

審問所のあったツールスレン高校の体育館の壁には処刑前に撮られた家族写真が何百枚も貼られていた。

民族の純血から始まった粛清はやがてベトナム人や華人の合の子も殺す対象に入れ始めた。混じりっ気なしのクメール人だけにする。それで混血のフン・センは逃げた。

逆に和田特派員が見たようにロン・ノル派であっても同じ純血カンボジア人なら手も握りあったわけだ。

ロシアがウクライナに侵攻した。直前にプーチンは北京に行って習近平に会った。彼は習に侵攻を告げ、支援を頼んだと言われた。

ところが侵攻の朝、何も知らない6000人の中国人がウクライナにいて、かなりの恐慌をきたした。それでプーチンは「習に言わなかった」説がでた。

でも伝えていれば身内大事の中国人のことだ。大騒ぎになって3・11のときみたいにわあわあやって逃げ回っただろう。

プーチンが密かに練った侵攻の秘策は始まる前に世界にバレてしまいかねない。

一方で習は毛沢東風にプーチンに「構わずやってくれと言った」説もある。

それは北京が作ったフェイクだろう。小人、習が毛であるはずもないし。

（二〇二二年四月二十一日号）

露軍兵の「虐殺」「略奪」は伝統芸

「戦争とは別の手段で行う政治」とかクラウゼヴィッツは言った。

しかし彼がそう規定する前から戦争には伝統的な形があったように思う。

例えば旧約聖書の民数記でモーゼは「戦争とは相手民族の淘汰だ」と言った。

だから敵兵士を皆殺しにするだけでなく、民族の種を持つ男の子は赤ん坊に至るまで殺した。人妻も子種を宿している可能性があるから殺した。ただ処女は神から兵士への贈り物だから、「生かして楽しめ」とモーゼは言った。

モーゼはまた相手民族の家畜も食糧も富も洗いざらい奪うよう命じた。

戦争とは政治の手段である前に神が許した「殺戮と略奪と強姦」だった。

このときは同じセム族同士だが、それが異民族でも同じ民族でも何の区別もなかった。

ロシアのイワン雷帝は同じスラブのノブゴロド市を滅ぼすときもモーゼの教えに従った。

まず彼の親衛隊が入り込んで城門を閉め、誰も逃げ出せないようにした。

その上で5週間にわたって強姦と略奪を恣《ほしいまま》にし、貴族から市民に至るまで数万人を殺戮した。

そう言えば米宣教師マイナー・ベイツは東京裁判で「日本軍は南京城を封鎖して異民族中国人市民に対し略奪と強姦を恣にし、6週間にわたって殺し続けました」と証言した。

何を大ぼらをと日本人は思うけれど、イワン雷帝を知る白人たちには怪しむ理由は何もなかったようだ。

そんなロシア人と最初に出会った日本人は北辺を守る松前藩藩士らだった。

1807年、択捉島紗那で露艦2隻が砲撃してきた。樺太の居留地や利尻島も攻撃され、略奪された。

殺戮や略奪に何の躊躇いもないという風情だった。

次に彼らは対馬を襲った。露艦ポサドニクが浅茅湾に侵入、芋崎の永久租借と女と食糧を差し出せと対馬藩に要求した。

対馬藩が要求を断り、退去を求めるとロシア人は交渉役を殺害して、後は好き放題に略奪していった。

幕府は苦境に立つが、最終的に英公使オールコックの計らいで英艦2隻が出かけて追い払った。

これを機に日本は本気で夷狄に備えて富国強兵策を取り、43年後の日露戦争で、芋崎での屈辱を倍返ししてやることができた。

非白人国家に負けた屈辱は大きい。スターリンは日本が米国の経済制裁で弱るのを見てノモンハンで挑んできたが、また負けた。

司令官ジューコフは「あんな苦しい戦いはなかった」と敗北を認めている。

その6年後、ロシアは日本降伏という好機を得た。武装解除した日本軍は「勝てる相手」のはずだ。

ロシアは日ソ中立条約を一方的に破棄して、まず満洲に攻め込んだ。

銃を置いた日本軍将兵60万人は奴隷としてシベリアに送られ、10年間も強制労働を強いられた。明らかな国家犯罪だ。

スターリンは南樺太も千島も北方四島も取った。

上が図に乗ると下のロシア人もいい気になる。当時は世界最大級の豊満水力発電所に乗り込んで発電プラント1基をバラして持ち去った。残る1基は中国人が盗んで、今は洛陽で発電を続ける。

哈爾浜《ハルビン》、新京に進駐すると彼らは邦人の家に押し入って略奪し、女を犯した。

日本人が南に逃げると彼らが後を追う。今の北朝鮮でロシア兵の狼藉はさらに拡大した。

RKB毎日放送の上坪隆の『水子の譜《うた》』にはロシア兵に犯され妊娠した19歳の女性の話がある。日本に戻り、麻酔もない状態で堕胎手術を望んで、母子ともに死んだ。やっとロシア人の魔手から逃れながら、同じように妊娠の重荷に耐えきれず舞鶴沖にまできた帰還船から身を投じる悲劇が何件もあった。

ウクライナに侵攻した露軍兵士は市民虐殺だけでなく、「略奪した楽器をベラルーシ経由で国に送った」とか、戦地での婦女暴行とかの報道が続く。

ロシア人は素朴な民とかじゃない。ノブゴロドの昔から何の変りもない、粗野で残忍な民でしかないのだ。

（二〇二二年四月二十八日号）

第四章　強欲と殺戮が世界史をつくった

史実をごまかす新聞と学者は許せない

朝日、毎日、東京を「新聞界の地震予知連」と言う。

予知連はこの半世紀、４０００億円も使いながら一度も予知ができなかった。

熊本では震度７の余震すら見えずに２７６人をあたら死なせた。

その代わり罪深い嘘はたくさん並べてきた。

地震学の権威佐藤比呂志東大教授は立川の地層に埋まったコンクリート製電柱を活断層と見做し、東京大地震が明日にもくると言った。

町中に活断層が何百本も立っている都民は大いに恐れおののいたものだ。

朝、毎、東京も嘘っぱちでは佐藤教授に負けない。

朝日の天声人語は吉田清治の性奴隷の嘘を16回も繰り返し、それを子供たちに書き写させた。

嘘を書いた一人が今の論説主幹根本清樹だ。

恥を知るなら新聞人をやめるところだが、彼は今も偉そうにNHKやDHCテレビに「倫理観があるのか」と詰問する。

その3紙がプーチンのウクライナ侵攻を見て「日本軍とそっくり同じ」と筆をそろえた。

プーチンは報復もできない弱小国を一方的に破壊し、女子供をぶち殺し、金品を略奪して反省もない。

それが「白人のアジア侵略を止め、植民地主義、人種差別に終止符を打った」（アーノルド・トインビー）日本軍とどこがどう同じと言うのだ。

そんなバカを言う学者はさすがに少ない。毎日がやっと見つけたのが愛知学院大准教授の広中一成だ。

東京新聞も彼を引用して「日本が中国領満洲に侵攻して傀儡政権を作った」辺りがプーチンのドンバス独立承認と同じという。

広中の前提は史実に悖《もと》る。満洲は満洲人の故地で中国人（漢民族）の領土は昔から万里の長城の内側と歴史は言っている。長城の外れ、山海関の東だから関東とも言った。満洲は断じて漢民族の領土ではない。

満洲を中国領だと見え透いた嘘を最初に言い出したのが米国務長官スティムソンだ。彼は日本が大嫌いで食ってきた男だ。

主張に根拠はない。彼は勝手に「清の版図は漢民族が継ぐ」ことにした。そうすれば満洲もモンゴルも蔣介石の領土になり、満洲の日本軍は「中国領を勝手に侵した」侵略者になる。日本は以降、侵略国家呼ばわりされ、一方の中国はウスリーからエベレストまでの広大な領土をただで手に入れた。スティムソンはその礼に蔣介石に「日本を後から襲え」と命じた。歴史事象を見れば分かることだ。広中はそのスティムソンの作った「清の版図は漢民族が引き継いだ」史観に迎合しているだけだ。

朝日は帝京大教授の筒井清忠に「日本軍はプーチン」と語らせたが、こじつけが過ぎて意味不明になっているのが残念だ。

ただ「盧溝橋事件が起きて日中戦争に突入」と書く筆法が気になる。

これは鬼籍に入った半藤一利が専ら振り撒いてきた言い方で、盧溝橋事件が日中の泥沼戦争の発端だとしている。

しかし盧溝橋の騒ぎで戦争は起きていない。

その3週間後に通州事件が起きる。中国軍が通州城の城門を閉めて、日本人宅を1軒ずつ検《あらた》めて女性を犯し、虐殺した。子供も含め250人が殺された。

アラモでは250人が殺されると米国はリメンバー・アラモを叫んですぐメキシコに戦争を仕掛けた。

しかし日本はこの時もひたすら堪えた。

その2週間後、今度は6万の精強中国軍が上海の日本租界を襲った。米国が訓練し、実機も提供した中国空軍が上空を舞った。

欧米の後押しで日本租界の日本人2万人をまとめて大虐殺しようとしたのだ。

日本はそれで立った。優勢な中国軍を押し返し、米国の手先に堕した蔣介石を追った。

「事実を書けば日本軍侵略の構図が崩れる」と『渡部昇一の昭和史』にある。

だから半藤は盧溝橋後の通州事件も上海事変も一切触れずに「日中戦争が起きると」と書く。まるで自然現象みたいに。帝京大の筒井もそれに倣う。

因みに岩波の広辞苑は中国を慮《おもんぱか》って「通州事件」を載せない。朝毎も同じだ。

予知連の無能は許せる。史実を知りながら誤魔化す新聞や学者が許せない。

（二〇二二年五月五日・十二日号）

「唯一の被爆国」こそ持つべき核兵器

黒澤明の「七人の侍」を見たとき、ちょっと違和感があった。

収穫を終えた村を毎年のように野盗が襲う。実りを奪い、女を犯し、逆らえば殺しもすると映画は言う。

確かに戦国時代に野盗の類はいた。ただそのころの野盗は普段は村で百姓をやっている連中だ。

彼らは近くで合戦があると出かけて行く。

関ヶ原の戦いでは弁当持参で合戦を眺めていたという話も残る。

大勢が決し、落ち武者が出ると百姓はとたんに見物人から追い剝ぎに変身する。

それを「野伏せり」という。襲ってカネ目になる武具を奪い、名のある武将なら首級を取って褒賞に与《あずか》る。

敵中突破をやった島津義弘も関ヶ原を脱出した後、この手の百姓に随分痛めつけられている。

因みにその関ヶ原の戦いも、百姓が稲を刈り入れ、稲架《はさ》掛けを済ますまで待った。百姓に遠慮しいしいの合戦だった。

そういうわけだから野伏せりが己の村を襲うという黒澤映画の設定がどうも落ち着かない。むしろ落ち武者が村を襲うというなら説得力がありそうだが、日本の歴史はそれを否定する。

例えば平家の残党は壇ノ浦の後、ただひたすら逃げ落ちていった。落ち行く先は福井の赤谷とか南会津とか。八戸辺りにも落人の隠れ里が残る。

日経出身の評論家、故井尻千男《かずお》は戦国大名佐々木六角氏の末裔に当たる。近江で負け、山梨の井尻村まで落ちて、六角を井尻姓に変えたと聞いた。

劉邦は99回負けても諦めなかったが、日本人は一度で諦める。それが武士だ。

もう一つ、武士の戦いは勝ったからと言って好きに殺戮や略奪はしなかった。

関ヶ原の戦いでも石田三成を除けば西軍諸大名の誅求は石高を減らす程度で収めている。

欧州もそのころウエストファリア条約を結び、勝手な略奪を禁じて国が賠償義務を負うことにしている。

戦争の形も例えばナポレオンと欧州軍がベルギーのワーテルローに場所を決め戦うように

なった。

日本は日露戦争でも優しい戦争を実践した。ロシア人将校が負傷して捕虜になると、その妻が四国の収容所にきて夫を看病するのも許した。

日本式の戦争に世界が目覚めたと思われた20世紀。昔の戦法を蒸し返す国がでてきた。米国だ。

真珠湾に始まった日米戦争は太平洋の島々を「戦場」としたが、米国はそれを飛び越えて、日本本土を直接攻撃してきた。

マッカーサーは飛び石作戦と言ったが、別名は「サンドクリーク」と言った。

コロラド州のシャイアン族の居留地の名で、米騎兵隊は戦士たちが狩りに出るのを待って集落を襲い、留守を守る女子供６００人を皆殺しにした。

民族を絶やすには女を殺せばいい。戦士を倒すより危険は小さく、おまけに手っ取り早い。

米国は日本人をサンドクリークのシャイアンに見立てて女子供を集中的に殺した。その象徴が広島、長崎の原爆だった。

そういう絶滅戦を米国は total war（総力戦）と呼ぶ。「先祖返りの戦争」と素直に言えばいいのに。

戦争倫理を育んだ日本が最も残忍な原始戦争の洗礼を浴びたのは皮肉だが、これにどう対応するか。

「唯一の被爆国」だから「過ちは繰返しませぬ」と逃げるか。

「非核三原則があるから何も考えない」（岸田文雄）とか「核兵器禁止条約に背を向ければ日本は3発目を食らう」（ICANのベアトリス・フィン）とか。ふざけた雑音は多い。

しかしウクライナ侵攻に見るように戦争に倫理は必要だ。日本はそれを教えられる国だ。

「唯一の被爆国」に続く言葉は「野蛮から国民を守るためにどの国よりも優先して核兵器を持つ権利がある」に決まっている。

それなのにマッカーサー憲法に拘《こだわ》って核保有の特別な権利を留保するから中国や北朝鮮まで図に乗ってくる。

ロシアも含め戦争とは虐殺と強姦と略奪だと思っている国ばかりだが、日本が持てばみんな黙る。


（二〇二二年五月十九日号）

国際問題は人種と宗教抜きでは語れない

新聞記者生活で何度か上とぶつかった。

その一つは戦後間もないころ日本人操縦士が米政府に雇われ、B17爆撃機でソ連や中国にスパイを送り込んでいたという特ダネを取ったときだ。

操縦士の中には日航機長になった人もいて、生々しい証言をしてくれた。

文句なしのネタだ。長期連載もやる気だったが、編集責任者は「日米関係は微妙な時期にある。米国に不都合な話は載せられない」からボツだという。

意味が分からない。何度も説得したがダメで、しょうがないから文藝春秋で発表したらサンスポ芸能部に左遷された。

インディラ・ガンジー暗殺に続いたシーク教徒の大虐殺の報道でもぶつかった。

まだ燻るシーク教徒の遺体の遠景写真をカットに使ったら「朝食時に読む新聞に相応しくない」とボツを言ってきた。

宗教に絡む憎悪の凄まじさが一目で分かる。アングルもいい。読者には食事どきに読むなと言えば、と反論してまた処分された。

メキシコ南部で起きたマヤの反乱のルポでも上と意見がぶつかった。

スペイン人はここで黄金を奪い、男も女も殺し、処女だけは生かし、犯した。それで混血のメスチソが生まれ、今ではメキシコ人口の6割を占める。より白ければ社会的にもいい位置につける。

一方で森に逃げたマヤの末裔も1割を占めた。純血のご先祖様なのにメスチソ社会は汚いものを見るように存在を無視し続けた。

それでも政府は彼らに文化の光を、と森から出して近代的な村に住まわせた。生活は保障されたが、ただ村を出ることは禁じられた。「醜いモノは外には見せない」それが不満で蜂起したのがその時の反乱だった。

隔離村で機《はた》を織《お》る少女に話を聞けた。彼女は「先祖が森に逃げたのを恨む」と言った。「逃げずに犯されていたら白い血を貰え、外にも出られたのに」

彼女はまた同じ肌色の日本人が高級メスチソを通訳に使い、指図している姿にも素直に驚いていた。

確かに通訳はほとんど白人に見えたが、聞いてみたらメスチソ特有の悩みもあった。

「赤ん坊が生まれてくるとき白人顔か、それとも先祖の血が蘇るか、それが怖くて……」

そういう己の血への不条理な嫌悪感も織り交ぜて送稿したら、ボツだった。

たった100行の中に犯すとか人種とか差別的な言葉が36カ所もあったからだと上は説明した。

反乱は優れて人種問題なのに人種を語るなという。

なぜなら日本では人種と宗教を人権と見做し、書かない方向にあった。

その分、よその国のことは良く書く。そのためなら特ダネだってボツにする。

それでも産経はまだいい方で、例えば朝日は在日の犯罪者ですら通名表記して民族を消す。

和風ペンネームを使う在日の作家に、日本批判をやらせる。ほとんど八百長だ。

些末な韓国報道はそれでもいいが、他の国際問題を人種、宗教抜きで書いたら意味不明になる。

マヤの反乱と同じころ、ハイチに米軍が出動した。大統領と軍部の対立だと新聞は書いたが、実際は白人混血の黒人と純粋黒人の対立だった。

「白人が協力してみな混血児にするしか解決はない」とフランクリン・ルーズベルトが生きていたら提唱しただろう。

ウクライナ問題もまた人種、宗教が複雑に絡む。

ウクライナはロシアと同じスラブだが、西半分はカソリックで東側がプーチンと同じ東方正教会系になる。

その東側でもスターリンに餓死させられたホロドモールの記憶が残る。

もう一つ。そのウクライナはユダヤ人殺戮のポグロムの本場だった。それを題材にした『屋根の上のバイオリン弾き』はオデッサで書かれた。

そしてゼレンスキー大統領も、彼の背後に控えるオリガルヒのコロモイスキーもともにユダヤ系だ。

そして後方から支援するＮＡＴＯはロシアと同じ東方正教会系のセルビアを倒している。

そのどれも新聞は書かない。だから読んでも分からない。


（二〇二二年五月二十六日号）

陛下まで貶める嘘を並べる非人道新聞

イスラム研究家、飯山陽《あかり》の啖呵は歯切れがいい。

信仰とテロを結びつける昨今のイスラムを「いい宗教だ」と持ち上げる日本人学者どもを『イスラム教再考』で存分に叩いている。

こっちはホメイニ師のテヘランにいた。酒も女もダメはしょうがない我慢しても、初潮がきたらさっさと結婚させ、不倫したら石で打ち殺すなど理解を越える。

石田純一を持ち出すのもなんだけれど、不倫だって立派な文化だ。

何より許せないのが「殉教すれば金髪碧眼の処女72人が天国でお前を待っている」とか言って、アラブ世界に自爆特攻を流行らせたことだ。

信仰心をテロに転用するイスラム坊主の姿から目を逸らす学者を許せないのはよく分かる。

そんな彼女が今度は朝日新聞を両断した。

ウクライナに侵攻したロシアは「かつて中国朝鮮を侵した日本とそっくり」と論じた部分

だ。

彼女は言う。悪いのはロシアだ。今のウクライナが明日の日本かもしれないときに「論点をすり替え、日本批判に転じようとする」。

民が惨たらしく殺される衝撃を利用して「自己のイデオロギーがさも正しいかのように主張するのは人道にもとる行為だ」（産経新聞コラム「新聞に喝！」）。

だいたい日本は、糞尿に塗れる貧しい朝鮮に砲弾など見舞っていない。逆に学校を建て、鉄道を敷き、電気を灯してやった。

中国も然りだ。蔣介石と中共は黄河を決壊させ、長沙の街に火を放った。

黄河では30万人が溺死した。日本軍は決壊箇所を修復し、大小舟艇を出して溺れる民を救った。

村々を襲って破壊し、略奪するロシアはむしろ蔣介石軍とそっくりだ。白を黒と報道するのはまさに非人道的と言っていい。

彼女にもう一つ読んでほしいのが沖縄返還50周年の朝日の社説だ。

執筆は根本清樹だと思うが、まず手垢のついた「沖縄は捨て石」の嘘で始まる。

捨て石ならだれが特攻機を出すか。だれがあの戦艦大和を片道燃料で発進させるか。それには答えず、さらに昭和天皇の「琉球の軍事占領の継続を望む」という昭和22年9月のお言葉を持ち出してくる。

「ほら見ろ、天皇だって沖縄を率先して見捨てているじゃないか」と。

尤もらしい。しかし歴史を見れば、お言葉の意味は全く逆だ。

マッカーサーは早々に「沖縄を含む北緯30度以南の島々は日本の行政圏から離され、米国の行政権下に入れる」と布告した。

トルーマンはそれをさらに推し進め、グアム、ハワイと同じに「恒久的に米国領とする」（昭和23年10月）大統領令を出した。

太平洋戦略拠点として米国はペリー以来、沖縄に執着してきた。それを知る陛下は「沖縄の米国領編入」に心を痛められた。

しかし御身はただの象徴にされ、権限もない。でもせめて領有でなく「沖縄を占領地のまま」とすることを願った。

それならいつかは日本に戻ってくる。それがこの「占領の継続」というお言葉の意味だ。

それを故意に悪意に取ったのが鬼籍に入った半藤一利だ。彼は天皇とマッカーサーの会談で「沖縄をくれてやるから米軍基地を本土からみな持っていけと言った」とまことしやかに書いてきた。

何の証拠もない、検証もない半藤の妄想を朝日の論説委員が利用して書いたのがこの社説だ。

社説には高等弁務官ポール・キャラウェイが征服王の気分で「沖縄の自治など神話だ」と言ったとある。それも嘘だ。彼は沖縄をハワイやグアムより魅力的にしたいとカネと技術と援助を惜しみなく投入した。

人々は目を輝かせ、街に活気がみなぎるかと思ったが、何も起こらなかった。なぜなら民はみな身内を殺された恨みを持つ。米国に心から肯《がえ》んじる気もない。加えて沖縄の顔役は多く華僑の血が入って意地汚い。米国からの資金はボス連中が懐に入れ、抗生物質など先端医薬品は本土に横流しされていた。「自治は神話」はそんな沖縄人への愛想尽かしの言葉だ。

陛下まで貶める嘘を並べる。彼女でなくとも啖呵の一つも切りたくなる。

（二〇二二年六月二日号）

「旧敵国条項」で日本を脅すならず者国家

少し前、核兵器廃絶を訴えてノーベル平和賞をもらったＮＧＯの代表ベアトリス・フィンが来日した。

趣旨からいって唯一の被爆国、日本には同情的かと思いきや、この女はやたら刺々《とげとげ》しかった。

彼女のお勧めの核兵器禁止条約を日本がシカトした。それが気に食わなかったからか。

シカトした理由はハッキリしている。日本はマッカーサー憲法のせいで核もまともな軍隊も持てない。国を守るには米国の核の傘が必要なのに核禁条約に入れれば核の傘からも出なくてはならない。

批准しないもう一つの理由は「唯一の被爆国の権利」だ。再び核の脅威に曝されないよう、日本はどの国よりも優先して身を護る核をもつ権利がある。

それに加えて非人道的な原爆を投下した米国に対し、日本は今も２発の核の報復権を留保している。

トルーマンが投じた原爆で死んだ20万のうち8割は国際法で言う非戦闘員の女子供だった。しかも長崎では「プルトニウム型の人体実験」（米エネルギー省）もやった。米国はその蛮行を未だに謝罪もしていない。

日本人はあのとき必ず仇《かたき》を取ると誓った。それを自ら放棄する理由はこれっぽっちもない。フィンはそんな事情を理解もしないで、私の顔を潰すような不貞腐れは許さないと怒って言い放った台詞が凄い。「広島、長崎に加えて日本は3発目を食らうだろう」だと。

彼女に人種差別意識がないのなら日本で暇つぶしなどせずに、今ならモスクワにすぐ飛んで核使用を仄めかすプーチンにその思いをぶつけるのが筋だろう。

実に姑息で嫌みったらしい女だが、ただ彼女の言った「日本が3発目を食らう」は決して非常識な言葉ではない。

根拠は実は国連憲章にある「旧敵国条項」だ。

先の大戦で連合国と戦った日、独、ハンガリー、フィンランドなどを指す。

この前歴がどれほど重いかは憲章53条の「武力制裁」を見ればいい。

例えば目下ウクライナ侵攻中のロシアだ。この国は以前、日本が降伏したあと日本に攻め込んで今ウクライナでやっているのと同じに強姦、略奪、殺戮を恣《ほしいまま》にした。挙句に南樺太から北方四島まで日本の領土を奪っていった。

ロシアは東欧でも共産化を拒む市民に躊躇いなく発砲し、戦車で轢き殺して喜んでいた。

そういう悪い国に憲章53条は「各国が協力して軍事制裁を科す」ことにし、ただその発動には安保理の承認を求めている。今回もそうなるはずだったが、常任理事国のロシアが拒否権を使うから通らない。

ただ53条には後段があって、ならず者国家が日本やドイツなど旧敵国だった場合、脅威を感じた国々は「安保理の承認なしでも武力制裁をしていい」ことにしている。

旧敵国とは生来のならず者国家なのだという。ロシアと北朝鮮をたして2で割ったような国をイメージすればいい。そういう国がまた非行に走れば勝手に正義のリンチを下していいと言っている。

例えば日本が敵基地攻撃用ミサイルを装備したとしよう。それを中国、北朝鮮が日帝復活の兆しと勝手に判断したら日本に核を降らせてもいいとしている。

しかもそれは国連憲章で認められた正当な行為と判断される。

いやいや旧敵国条項は30年前の国連総会で廃止が決まった、もはや死文化の条項だという声がある。

しかし安保理はまだ廃案を決めていない。それどころか中国の楊潔篪は尖閣に絡んで「旧敵国のくせに中国の領土を取る気か」と、旧敵国条項を使う気すら見せている。

北朝鮮も然り。そんなならず者国家に旧敵国条項は「正義の刃」を持たせている。

それなのに日本では首相が「非核三原則があるから核論議はしない」と核報復を否定し、敵基地攻撃はいかがなものかとバカな野党が声をそろえる。

日本は3発目をぶち込んでも報復する気もないとなれば中国も北も躊躇いはないだろう。

そういう狂気が日本海の向こうから確かに伝わってきていないか。


（二〇二二年六月九日号）

独裁者の忘れ形見は中国人よりマシ

退職金を貰えなかった警官が、怒って銃を手に走行中の観光バスを乗っ取った。一昔前、マニラ市街で実際にあった騒ぎだ。乗客は香港からのツアー客だった。

警官隊が包囲して10時間。女子供らが解放されてバスの中に男の乗客15人だけになったところで警官隊が突っ込んで犯人を射殺した。

ただ人質の乗客も大方が被弾して8人が死亡、3人が重傷を負った。状況から警官隊が犯人もろとも銃弾を浴びせたのは明らかだった。

フィリピンでは阿漕に稼いででかい顔をする中国人は嫌われていた。

香港政庁は「人質は香港人で中国人じゃない」と説得したが、フィリピン人の野次馬も警官隊もその違いをあまり気にしなかった。

だから犯人と一緒に撃ち殺した、では中国人に対する明らかなヘイトクライムだ。

それをどう言い訳するか。難しい判断を迫られたのが時の大統領ベニグノ・アキノ3世だった。

アキノ家は名門で、曾祖父はフィリピンを奪いにきた米国と戦い続けたアギナルド将軍の右腕を務めた人物だった。

祖父のベニグノ・アキノ1世も民族派で、日本軍が米軍を追い出したあとにつくられた民族派政権では国会議長を務めた。

因みに純粋の民族派大統領は少なく、米統治時代の大統領ケソンは正真正銘の白人のスペイン人だった。

戦後、マッカーサーに指名されたキリノは生粋の中国人。大統領就任式の祝いにはモンテンルパに繋がれた日本人戦犯3人を吊るした。

彼はまた日本に80年分の国家予算と同額という法外な賠償を要求し、断られると14人の戦犯を一晩で吊るして日本を脅した。

いかにも中国人らしい。民にも尊大に当たり、それでしばしば華人街が焼き討ちに遭った。

中国人への悪評はアキノ家にも影を落とした。なぜならベニグノ2世が娶ったコラソンはこの国の経済を牛耳る華僑の一人、許寰哥《コファンコ》ファミリーの娘だったからだ。

2世はそのカネで独裁者マルコスに挑むつもりだったが、米国から戻ってきたマニラ空港であっさり暗殺されてしまった。

マルコスが仕組んだというにはあまりにあけすけな暗殺だった。

それでも素直なフィリピン人はアキノ家に同情し、マルコスは国を追われ、代わって未亡人の中国人コラソンがすんなり初の女性大統領に就いた。

許寰哥ならやりかねない華僑的国盗り物語に見えなくもない。

実際、彼女が就任するや中国人がどやどや入り込み、今や「300万人を超える」（樋泉克夫・愛知県立大名誉教授）勢いにある。

加えて彼女は北京の思惑に合うようにクラーク・フィールド、スービック・ベイの米軍基地を閉鎖してしまった。

基地経済は消滅し、民の貧困は進み、中国人だけが太っていった。

それから10年、コラソンの息子ベニグノ3世が大統領に就いてすぐ香港人の観光バスで不幸が起きた。民の思いは実に素直だ。

で、3世はどうしたか。南沙での北京の横暴を国際法廷に訴え、中国人の脱税に目を光らせ、名門アキノ家の面目を復活させた。

その後のデュテルテは北京に接近し、むしろ米国と距離を取った。

なぜなら彼は生粋の地元民で、出身はレイテ島。アギナルドの時代に米軍に抵抗した廉《かど》で全島民が皆殺しにされた。デュテルテ家は数少ない生き残り組で、反米も理解できる。

そして今回は独裁者マルコスの忘れ形見と華僑系のレニー・ロブレドが大統領の座を争い、マルコスJr.が競り勝った。

日本の新聞は何で独裁者の息子がと首を捻る。

考えても思い浮かぶのはイメルダの3000足の靴しかない。華僑との確執も知らない。

この地はスペイン人、米国人、中国人がきては踏み荒らしていった。でも民はちゃんと学んで、今は最も中国人を嫌う。

今度の選択も実は大統領の血筋にあるという。

検索すると彼の父は「日系」とある。許寰哥より遥かにましに見える。


（二〇二二年六月十六日号）

ＧＨＱが進めた日本衰亡化計画

フランクリン・ルーズベルト（ＦＤＲ）は日本の敗戦が見えてきたころ、アジア民族の明日を考え始めた。相談相手はスミソニアン博物館の人類学者アレス・ハードリチカだった。

彼は「優秀な白人と劣ったアジア人を交配させる」案を出した。かつてスペイン人が新大陸でインディオの女を犯し、メスチソを産ませたのに倣った手法だ。

そうするとアジア人の男は邪魔になるが、もう20世紀だ。スペイン式に殺処分ともいかない。

そこで人類学者は強力な磁波が流れる通路を歩かせる案を出した。それだと「たった20秒で痛みもなく不妊化できる」のだそうだ。

ただ日本人は改良できないとチェコ人のハードリチカは言う。なぜなら「彼らの頭蓋骨は2000年も遅れている」からむしろ淘汰すべきだと勧めた。

彼の人類学では白人はアフリカで生まれた黒や黄色と違って別の起源を持つ優れた別種だ

という。

しかしそんな立派な白人が5世紀も解けなかった黒死病の正体を北里柴三郎はたった5日で突き止めた。アドレナリンも原子構造も日本人が解き明し、レーダーも発明した。彼は自身の学説に馴染まぬ日本人を嫌い、恐れた。

FDRもその恐怖は共有していた。それで「日本人を4つの島に閉じ込めて滅ぼす」(クリストファー・ソーン『米英にとっての太平洋戦争』)ことを考えついた。

彼はそれを命ずる前に死に、戦後処理はGHQの手に移るが、それは奇妙なほどFDRの遺志に沿ったものだった。

まず在外邦人に本国引き揚げが命令された。

敗戦を口実に、その国民をみな祖国に追い返す例など歴史にもない。FDRの言う「4つの島に隔離」するためとしか思えなかった。

かくて日本軍将兵を含めて中国大陸から280万人が、台湾から63万人、朝鮮からも70万人が引き揚げてきた。その他中南米、欧州からも含め総数は630万人に及ぶ。ゲルマン大移動もびっくりだ。

一方で日本にいた中国人、朝鮮人240万人も順次送還された。隔離は日本人だけという意味だ。日本人が4つの島から出国することは当然禁止された。

ＦＤＲは「隔離して滅ぼせ」と言った。

ＧＨＱは人口増に嘴《くちばし》を入れた。加藤シヅエを使って中絶を合法化し、併せて核家族化も推進させた。今の少子化はここに始まった。

欧米相手に4年も戦えた工業力も消滅させる対象だった。

連合軍賠償使節団のエドウィン・ポーレイは「現物賠償」の名で日本のすべての重厚長大産業を解体して満洲に運び、中国を人並みの国に育てる計画だった。

ところが満洲を視察したら街もインフラも中国人が破壊し尽くしていた。

計画は頓挫し、おまけに朝鮮で戦争が起きた。

日本の重厚長大産業は戦争特需もあって生き延びることができた。中国、朝鮮のおかげとも言えるが、ＧＨＱにとっては大いなる誤算だった。

それでもＧＨＱはめげずに日本衰亡化を進めた。

マッカーサーはスイス公使ゴルジェから日本の時計工業界を潰せと頼まれるとすぐ日本政府に命じて企業に労働組合を作らせた。

併せて共産党を合法化し組合指導に当たらせて企業潰しを図った。日航に潜り込んだ共産党員、小倉寛太郎もその一人だった。彼は日航を傾かせ、『沈まぬ太陽』のモデルになった。

ＧＨＱは日本のエネルギー資源、石炭産業が「奴隷を使役した」と因縁をつけて生産抑制を強いた。

それでも日本が持ち直し始めると、米国は自分の植民地フィリピンへの償い金を日本に肩代わりさせた。

英仏蘭もそれに倣って日本は彼らの植民地への賠償金を払い続けた。阿漕過ぎるが、彼らは日本は消滅して後腐れはないと信じていたからだ。

そう思わせたのはマッカーサー憲法だ。戦力を放棄して丸腰になりますと幣原喜重郎が言い、「100年経てば理解される」と二人は感激の涙にくれたとマッカーサー回想録にある。

しかし丸腰など国家じゃあない。現に中国、韓国如きに日本の島を取られて何もできない。北方四島も取り返せない。

滅び始めているのに、肝心の日本人だけはまだ気付いてもいない。


（二〇二二年六月二十三日号）

大学入学共通テストにリスニングは無用

略歴には「ロサンゼルス特派員」がある。

自分の取材スクラップ帳を開ければピーター・ドラッカーをインタビューもしている。

それは事実だが、だからといって英語が達者だったとは言えない。

赴任前に駅前の英語学校に少し通った。だからまあ大丈夫だろうと思って着任してテレビを点けた。

CNNニュースが流れ出したが、早口で半分も分からない。

中でも「ペナガン」に困った。何度もその言葉が出てくるのに字引に載っていない。外信部長が意地悪で助手も付けてくれなかったから暫くペナガンが何モノか分からなかった。

そんなとき家探しを頼んでいた不動産屋がきた。「いい物件がある」と地図を広げる。「ほらサンヴィセネのすぐ脇だ」と指で示す。

地図には「サン・ヴィセンテ通り」と綴ってある。

で、ピンときた。「お前ら米国人は単語の中にあるｔを勝手にサイレントにしていないか」不動産屋は頷く。これで「ペナガン」を解く糸口が摑めた。どこかにｔを入れていき、ついにPentagon（国防総省）にたどりついた。

multinational（多国籍）のｔは読むけど発音は「マルチ」ではなく「モータイ」と聞こえる。米国人の訛りはホントに酷い。英語圏の青森弁だ。

それをこなして街の駐車場に行ったら係の黒人の言葉が分からない。まるでラップだった。助手席の女性が翻訳しなかったら駐車もできなかった。

いわゆるエボニクス（黒人英語）は日本人にはまず理解できない。白人女給ニコールを見初めたＯＪ・シンプソンはその黒人英語を矯正するのに3年かかった。それで求婚し、悲劇が始まった。

英語世界で育ったＯＪですら癖のある米国人英語を習得するのにそれほどの時間がかかる。ロスには他にメキシコ系のスペイン語訛りがある。それぞれを聞き分けて初めてAngeleno（ロスっ子）になれる。

西海岸でこの有り様だ。米南部に行けばまた別の英語に遭遇する。米国ですらそれだけ勝手な英語が喋られている。

その意味で英語は中国語と似る。上海人の喋る中国語を広東人は理解できない。

ただ文字で書かれた「蘋果日報《りんご》」はどこの中国人でも意味は理解できる。日本人も漢字を書けばトイレに行け、湯麵《タンメン》も注文できる。

我が文科省はそれが分からない。英語を話せることは偉大だと思い込んで「外人と話せる」が英語教育の本道と信じている。

かくて小学生から英語の授業を始めさせ、それも外人を教壇に立たせてナマ英語を聞かせるのが正しい教育と規定している。

外人が募集され、今、世界では英語が話せれば日本で教員になれると広く信じられている。中には「日本女の顔を股間に押し付けろ」のジュリアン・ブランク型の白人性犯罪者も多く混じる。

因みに強制送還を拒否して死んだスリランカ女性ウィシュマもシンハラ語が母国語なのに日本で英語を習って英語教師になる気だった。

日本ではシンハラ訛りでも通用すると思われているところがコワい。

実際、文科省も英語世界が実は訛りだらけという事態が分かってきたみたいで、訛りを理解するのも正しい英語教育だと言い出した。

その証拠に少し前の大学入学共通テストではリスニング部門に3人のスピーカーを登場させた。

一人がペナガンと訛る米国人。二人目が英国人。つまり「Rain in Spain」を「ラインインスパイン」と読む。

そして3人目が日系米国人の英語で、その訛りを「聞き取り、聞き分ける」テストだった。聞くだにアホらしくないか。

そのうち黒人英語もシンハラ訛りもテストに出してくるつもりだろう。

そんな英語を学んだところで通訳じゃあるまいし、何の意味があるのか。

日本人は中国語の発音など知らない。それでも漢字で彼らの意図は分かる。

語学などというのはその程度でいい。余った時間は日本語教育に回せ。


（二〇二一年六月三十日号）

第五章　報道を装う新聞の虚妄

いい放射線

遺伝に興味を持ったハーマン・マラーは米コロンビア大のトーマス・モーガン教授の研究室に入った。

ここでは猩々蝿《しょうじょうばえ》の奇形を見つけてはそれがどう遺伝するかを研究していた。

モーガン教授はその研究で「遺伝子は染色体の上にある」ことを見つけ、ノーベル賞を貰っている。

マラーもそれを夢見て研究に励み、思いついて猩々蝿に放射線を中《あ》ててみた。

そしたら子はみな突然変異による奇形を現出し、それは次の世代にも遺伝した。

ある条件下では次世代がみなメスだけになることも分かった。メスだけではその種は絶滅する。

マラーの研究は世界大恐慌の直前に発表され、大きな衝撃を与えた。

ヒトも放射線で突然変異を起こし、滅んでいくのか。

研究者は競ってマラーの研究を検証した。

しかし猩々蠅よりやや大ぶりの銀蠅に放射線を中てても奇形は生まれなかった。蛙もマウスもモルモットも異常は見られなかった。

だいたい放射線はそんなに危ないのか。生命が誕生したころは崩壊前のウラン235がごろごろし、地上は放射線だらけだった。

それが危険なら一旦生まれた生命だって死に絶えていたはずだ。

結論を先に言うと、ヒトも生き物も高い放射線量を浴びると細胞が元気になる。

一方で遺伝子細胞が傷つく場合もある。奇形が生まれそうだが多くの生き物では傷もの細胞は自ら命を絶つ。生き永らえれば奇形を生む。だから死を選ぶ。何となし大和魂を思わせる。

これをアポトーシスと呼び、人体でもしょっちゅう細胞が自殺している。

ただ猩々蠅にはアポトーシスはなく、傷ついた細胞が自殺せずに、生き延び、奇形を生む。ごく例外的な存在だった。

当時はそこまで分からなかったが、マラーの研究は検証ができないまま、やがて忘れ去られていった。

それから10年。真珠湾攻撃があって米国は原爆を作る気になった。

放射線の人体への影響が気になった米政府はマラーを探し出して研究を再開させた。しかし彼の研究は猩々蠅止まり。広島と長崎に原爆を投下したころにはマラーは解雇されていた。

当時は米国だけが原爆を持っていた。その威力は広島で証明された。問題は撒き散らした放射線だ。放射線がマラーの言うように突然変異を生み、民族をも破滅させる後遺症を持つとしたら、だれが米国に歯向かうだろうか。

で、米国はスウェーデンに手を回してクビにしたマラーにノーベル賞を与えさせた。

それで「放射線は奇形を生む」伝説ができた。

世界は「米国に逆らうと何十万も殺されたうえ、放射線のせいで奇形児が生まれ、民族は滅んでいく」と信じ込まされた。

一方で、もはや草木も生えないと言われた被爆地で緑が芽吹き、かなり被爆した人々も普通に2世3世をなし、平均寿命を大きく超えて長命を寿いでいた。

世間の戸惑いを見た米国はマラーのデータ、つまり猩々蠅をヒトの体重に換算したもっともらしい許容量「年間1ミリシーベルト」を打ち出した。

それを英国の国際放射線防護委員会（ＩＣＲＰ）に追認させた。

因みに『ＤＮＡは放射線が大好き』（服部禎男）によればヒトがその５００倍の放射線を浴

びると細胞が活性化して「糖尿病も筋萎縮症も改善した」（山岡聖典・岡山大教授）報告がある。

ＣＴスキャンは一度に基準の10年分の10ミリシーベルトを浴びるが、ヒトの細胞は正常を保ち、アポトーシスが機能することも確認された。

菅直人は東電福島事故のとき、そんなカビの生えた米国製のインチキ数字を立ち退きの基準にした。

おまけに意味もなく放射線の恐怖を煽り、便乗立ち退き者も続出した。

東電はそれでも立ち退いた人すべてに月10万円を払い、全国の納税者も福島の被災者という人たちのために2・1パーセントの復興税を払っている。

しかし県民は満足しなかった。1ミリシーベルトのペテンに加え、天変地異にまで国の責任を問うたが、最高裁が蹴った。世間がどんな目で福島県民を見ているか。知ってほしい。

（二〇二二年七月七日号）

海戦の形を三たび変えた日本人の知恵

日露戦争のヤマ場は東郷平八郎率いる聯合艦隊とその3倍大きいバルチック艦隊がぶつかった日本海海戦だった。

橋下徹なら「負けは見えている。東郷は逃げるべきだった」と言うだろう。

ニューヨーク・タイムズもそう思った。

なぜなら双方の戦艦は欧州製の規格品かそのコピーで、主砲の口径も装甲の厚さもほぼ同じだった。

となれば勝敗は戦艦の数で決まる。3倍の艦数を持つバルチック艦隊が3倍有利に思えた。それに貧弱な方は海戦慣れしていない非白人国家だし。

しかし編集局に届いた第一報は「バルチック艦隊の戦艦など主要艦12隻が沈没」し、一方の東郷艦隊はまったくの無傷だという。

あり得ない話だ。それで第一報に添えて「露艦隊で水兵の反乱が起き、キングピンを抜いて自沈させたという情報もある」と書かせた。

そういう逃げを打ちたくなるほど第一報は信じがたいものだった。

やがて詳報が届き、バルチック艦隊はホントに消滅したことが判った。その事実以上に欧米諸国は東郷の戦法に衝撃を受けた。

海戦はギリシャの昔から艦首を相手艦の横腹に突っ込ませて沈めるのが形だった。そのために英国製の三笠も独製のスワロフもすべての戦艦の舳先《へさき》はアントニオ猪木の顎のようにせり出し、吃水線下には相手の船腹を抉る突起（衝角）を備えていた。

しかし東郷は露艦隊と一度も接触しないで遥か数キロ先から正確な砲撃を加え続けた。

それも西欧の使う弾薬の3倍の破壊力のあるピクリン酸砲弾を使い、分厚い鉄の鎧を纏ったオスラビアをまず炎に包んで沈めた。

欧米には鉄に触れたら即爆発するピクリン酸を砲弾に詰め込む技術はなかった。

英観戦武官ペケナムは戦艦朝日からそれを目撃した。彼の詳細な報告を受けて英国は東郷の戦法に敵う3連装の主砲を2段組みにした戦艦「ドレッドノート」を生みだした。

衝角で戦う時代は終わった。新しい大艦巨砲時代の幕開けを告げる弩級戦艦の誕生だった。

英国は海軍国の名誉をかけ、より強い戦艦を目指し弩級を凌ぐ超弩級を、さらにその上の超超弩級戦艦プリンス・オブ・ウェールズまで進水させた。

同艦は先の大戦のさなか、フランクリン・ルーズベルトの要請で大西洋から急ぎシンガポールに回航された。真珠湾攻撃の6日前だった。解読した暗号では日本軍は真珠湾と同時にマレー半島も襲う。その出鼻を叩くのが任務だった。

日本が手本を見せた大艦巨砲の威力をその日本相手に披露してやる。

高揚した気分でマレー沖に出撃したフィリプス英東洋艦隊司令官の前に現れたのは日本の戦艦ではなく96式陸攻機の群だった。

無敵のはずの同艦と僚艦の装甲巡洋艦レパルスは航空機からの雷撃と水平爆撃を食らって間もなく沈んだ。

もはや大艦巨砲の時代ではないことをその先鞭をつけた当の日本が実戦で教えた。日本は海戦の形をまた変えてしまったのだ。

物量の米国は辛うじて日本が更新した海戦方式に追いつき、ミッドウェーでは逆に日本の空母群を潰す幸運にも恵まれた。

航空戦力の足場を失った日本はアジア解放を果たすと膝を屈した。

海戦の歴史を2度書き換えた日本の栄光は終わったと思われたが、終戦から間もなく、米海軍は三陸沖で巨大な潜水艦「伊401」を発見し、拿捕した。

それは今、米国が建造中のバージニア級攻撃型原潜と同じ大きさだった。

そして司令塔下の格納庫には3機の爆撃機「晴嵐」が格納されていた。

伊号はその性能から米東海岸にも行ける。米領海内に深く潜り込んで晴嵐を発進させ、ペンタゴンですら爆撃し、破壊できた。

米国は三たび驚き、ここから原子力潜水艦を深海に潜ませてミサイルを発射する現代の戦略原潜構想が生まれた。

やっと日本人の知恵に追いついたところだ。

先日の天声人語は沖縄に片道切符で出た戦艦大和をネタに「古びた大艦巨砲主義にしがみついた日本」を嘲笑っていた。

何の事情も知らず、こんな無知に満ちた嘘を子供たちに筆写させる。愚かな新聞だ。

（二〇二一年七月十四日号）

朝日がお膳立てした「安倍の葬式」

一昔半も前、「変見自在」シリーズの1冊の出版記念会を市ヶ谷でやった。

仕切りは宮崎正弘。気が付いたら趣意書には発起人の総代表風に「安倍晋三」の名があしらわれていた。

いくらなんでも飛ばし過ぎと言ったら「あいうえお順にしたらそうなった」という無責任な返事だった。

それもあってか「ここをぶっ飛ばせば日本の保守論壇は全滅だわな」（政治評論家三宅久之）というほど多くの参集をいただいた。そんな中、ホントに安倍元首相が登場した。

「変見自在」の愛読者と語り、こちらは素直に恐縮したものだ。

安倍さんは当時、朝日新聞の執拗な嫌がらせで体調を崩し、第一次内閣をやめたばかりだった。

常軌を逸した安倍攻撃を三宅久之が主筆の若宮啓文に糺したら「社是だから」（小川榮太郎

『約束の日：安倍晋三試論』）と答えた。

「安倍の葬式はウチで出す」という有名な件がその台詞に続く。

両者の確執は古く、長い。

安倍さんは日本の宰相としては異形だった。ちびでも禿でもデブでもなかった。長身でスマートで英語もこなし、何より東大出でも官僚出でもなかった。並みの宰相なら官僚界のしがらみや学閥絡みで籠絡《ろうらく》もできた。言うことを聞かなければ紙面で脅しもかけられた。

しかしそれが安倍さんには通用しなかった。

おまけに両者の政治信条が全く逆だった。朝日が美土路《みどろ》昌一《ますいち》以来、中国に媚び、北朝鮮にへつらって日本を貶めてきた。安倍さんはその対極にあった。

朝日が北朝鮮を「朝鮮民主主義人民共和国」と畏《かしこ》まって表記していたとき安倍官房副長官は金正日に日本人拉致を認めさせた。

朝日が田中均と組んで拉致被害者を北に送り帰そうとしたのも安倍さんが阻止した。

一度は社是で安倍内閣を潰すのに成功した朝日が再び本気で「安倍の葬式」を出す気になったのは２０１２年、第二次安倍内閣の発足前の日本記者クラブ主催の党首討論会だった。

主催者を代表して質問に立った星浩が慰安婦問題をどう処理する気かと横柄に糺した。

答えは「慰安婦問題は星さん、あなたの朝日新聞が吉田清治という詐欺師の話を事実みたいに広めたからでしょう」だった。

全国生中継で朝日がいかに歪んだ性状と虚言癖の持ち主かをズバリ指摘した。

星浩は絶句し、朝日は安倍晋三の反撃に激怒したが、日本を貶める嘘を30年続けた事実は覆い隠しようもなかった。

社長の木村伊量はクビを差し出し、朝日の部数は面白いほど落ち込んで、記者にはもうタクシーチケットも出なくなった。

その仇を今の論説主幹根本清樹が託された。

根本は考えた。例えば「安倍首相が森友学園に頼まれて国有地を8割引きにした」と報じたら嘘になる。そんな事実はないからだ。

しかし「首相か昭恵さんが財務省に忖度させたかも」と疑惑がある風に書けば虚偽報道にはならない。これなら報道を装って何でも書ける。

それで根本はモリカケ疑惑を書き立てさせた。

せっかく衆参両院で3分の2を取りながら国会審議は疑惑報道で潰され、改憲は一歩も進まなかった。

自衛隊を明記する加憲まで後退しても、新たな疑惑とかで空転したまま。

結局、山口二郎の「安倍を叩き斬ってやる」の罵声に追われて安倍さんは再度の引退に追い込まれた。

それでも根本は手を緩めなかった。気脈を通じた活動家が元首相を追いかけ、街頭演説を妨害すれば喜んで活字化した。

活動家が警官に規制されたら、それを訴えさせて札幌地裁から「演説妨害は立派な表現の自由」という馬鹿な判決も引き出した。

根本はそれを社説で「安倍元首相の街頭演説で警官は聴衆を規制するな」と警察を脅し、演説妨害をあおった。

紙面で元首相を不実の人のように書き、山口二郎に「安倍を叩き斬る」と喧伝させ、警備陣には街頭演説の聴衆を規制させないよう牽制する。

朝日は山上徹也の犯行が成功するようお膳立てしていたとしか思えない。

根本は自分で謀った通りの展開をどんな感慨で見ていたのだろう。

（二〇二二年七月二十一日号）

安倍元首相が明かした北の虚構

下校途中の横田めぐみさんが失踪したのは1977年11月だった。

父滋さんは未明まで娘を探し回った。校舎のトイレを全部開けて探し、翌日も翌々日も下校路も小道も海辺も歩き回ったが何の痕跡も見つからなかった。最後はしゃがんで哭いた。

そんな日々が10年続いた1988年、大韓機爆破事件の金賢姫が「拉致された日本女性」を語った。

彼女はバーレーンの日本大使館員が捕まえた。ただ韓国が身柄を欲しがった。

日本は戦前、未開の朝鮮に教育や医療を施しインフラも整えてやった。が、彼らは逆に酷いことをされたと絡んできてカネや援助をたかった。金賢姫の身柄要求もその一つだった。

韓国はしかしそれ以上の拉致情報を出し渋った。恩義などという言葉を知らない民だった。

金賢姫の身柄引き渡しは痛恨の日本側のミスだった。

それでも横田夫妻には小さい希望の灯に見えた。

追いかけるように英国留学中に失踪した有本恵子さんの親元に「北朝鮮に囚われ中」という私信が届けられた。北朝鮮の日本人拉致を証明する最初の物証だった。

しかし外務省は「日朝交渉に障るから」と調査どころか逆に両親に口止めして追い返した。両親は土井たか子事務所を訪ねた。結果から言えば大失敗で、土井は外務省と同じに口外を禁じ、すぐ朝鮮総連に報告した。

北の秘密を暴露した恵子さんと夫と子供の3人はその2カ月後、不審な死を遂げる。役所も政治家もだれも相手にしようとしない。そんな中、恵子さんの両親の言葉に耳を貸し、解決を約束した人がいた。

それが「当時、父晋太郎外相の秘書だった安倍さんだった」と早紀江さんが元首相を悼んで産経新聞に寄せた一文にあった。

それからまた10年後の1997年、めぐみさんの消息が俄かに出てきた。北の工作員の話として「13歳の少女の拉致」の証言があり、脱北者からもめぐみさんの目撃談が語られた。

しかし田英夫、埼玉大の吉田康彦らが「韓国の捏造だ」と否定に走る。共産主義国家の北朝鮮が拉致などするわけがないという日本の進歩派を名乗る文化人の反応だった。

拉致は外交分野でも無視されたまま。それを象徴したのが阿南惟茂アジア局長と霞クラブこと外務省記者会の懇談会だ。

朝日の記者が「拉致疑惑は証拠もないのに盛り上がっている」と口上する。

モリカケのときにそういうセリフを聞きたかったけれど、それは措く。

この誘導に乗って阿南も「証拠がない。疑惑では動けない」と頷く。

そう誘導した朝日は社説でも「拉致疑惑が日朝正常化交渉の障害になっていないか」と拉致被害家族をいたぶる記事を書く。

阿南の次の槙田邦彦アジア局長もそれを真似て自民外交部会の席上、「たった10人（の拉致疑惑）で日朝正常化交渉がとまっていいのか」と言った。朝日と同じ主張だ。こんな人物が日本の外交官だったことに驚く。

北は朝日が日本の世論を丸め込んだと見たか。２００２年、小泉首相を招いて日本人拉致を認めた。

そう認めたら日本側がニコニコして1兆円よこすと外務省が保証していた。

しかし随行した安倍官房副長官が盗聴を承知で小泉首相に拉致被害者の帰国がなければ決裂しかないと言った。

かくて5人の帰国が実現するが「めぐみさんら8人は死亡」とされた。

でも「安倍さんは死亡した証拠はないと強いまなざしで北の虚構を明かしてくれた」と早紀江さん。

事実、北が「めぐみさんの骨」と言って持ってきたいくつかの骨片はDNA鑑定の結果「全く別人の、それも複数人のもの」と判明している。

いったん帰国した5人も外務省の田中均が犯罪国家・北朝鮮との口約束だから送り帰すというのを安倍副長官は「外交交渉の人質にはさせない」と断固拒否して、その家族も日本に取り戻した。北は1円も手にできなかった。

丸腰の日本が悪辣な国とだって堂々交渉できることを安倍元首相は示した。

比べて誣告《ぶこく》と姑息に生きる朝日新聞の醜さが妙に目立つ展開だった。

（二〇二二年七月二十八日号）

元首相が暴いた朝日の嘘

戦後間もないころまでは朝日新聞はまともだった。

米軍が進駐してきて1日120件も起きた米兵の強姦や略奪を、顔をしかめながら報じた。彼らは「万年筆や腕時計もかっぱらう」と市民に注意も喚起した。

ニッポンタイムズは「同じ軍政なら大戦中の日本軍の方が余程マシ」とも評した。

朝日は鳩山一郎に原爆について書かせ、昭和20年9月15日付で掲載した。鳩山は「原子爆弾は病院船攻撃や毒ガス以上の国際法違反行為で戦争犯罪だ」と断じ、「米軍将兵は被爆地に行ってその惨状を見るがいい」と厳しく論難した。

GHQが「日本軍がマニラ市民を大虐殺」という記事を強制掲載させると、編集局は「米軍の砲爆撃下でどうすれば10万人を犯し殺せるのか」と反発。「証人もいる」「検証すべきだ」と記事に付記した。

この2件がGHQを怒らせ、発行停止命令が出ると「連合軍の忠実な犬」を志願したと一般に言われる。

いや寝返っただけでなく積極的に「日本を捨てた」という見方もある。

実際、GHQが去った後も朝日は日本を貶めるのをやめず、日本人の側に立とうとはしなかった。

では誰に付き従ったのか。例えば朝日ジャーナルの巻頭言を書き続けた森恭三や広岡知男は毛沢東に生きる道を選んだ。

広岡は毛のために本多勝一に真実の一片もない「中国の旅」を書かせて日本人を蔑んだ。

秦正流と渡辺誠毅はソ連に付き従ってひたすらスターリン万歳を唱えた。

編集局の中でも中国派とソ連派が険悪に対立したものだが、ただ日本叩きでは協調した。

ソ連派の渡辺が社長をつとめた80年代には、文部省教科書検定で「日本軍の華北侵略が進出に書き直された」と大騒ぎした。

続けて「南京大虐殺はあった。先陣の都城第23連隊が大虐殺をやった」と生首ごろごろの写真付きで掲載もした。

さらに煙もくもくの写真付きで「これが中国での毒ガス作戦」の特ダネも載せた。

3本ともガセネタで、しかも嘘がバレても朝日は訂正すら出さなかった。

一方、笠信太郎は特派員時代の知り合いアレン・ダレスのツテでCIAにへつらって、G

HQの残した「ウォー・ギルト・インフォメーション・プログラム（WGIP）」を忠実に紙面化し続けた。

その間、森恭三の朝日ジャーナルは毎週25万部を売って学生を煽った。60年安保では10万学生をして国会に突っ込ませ、樺美智子を死なせた。

革命前夜の雰囲気になると笠信太郎は日本の赤化を好まない米国の意を即座に体した。毎日、読売、産経など在京7社の編集局長を呼びつけて「暴力を排し議会主義を守れ」とデモ学生をなだめる共同社説を掲載させた。

各社は朝日の後ろに毛沢東やソ連がいるのを知っていた。でも最も大きい存在が米国だということも知っていた。笠の言葉は米国の言葉だった。

世間は驚く。朝日ジャーナルで革命を煽って土壇場で梯子を外すのかと。

朝日には日本などおちょくり貶める対象ではあっても、とっくに捨てた国だ。このときも梯子外し？　それがどうしたくらいの感じだった。

そんな朝日の対極に登場したのが安倍晋三だった。

元首相は朝日が吉田清治に語らせた慰安婦の嘘を暴き、それを公認した河野談話を検証することで事実上反故にした。

朝日が護持したWGIPの日本語版となる村山談話も「日露戦争に勝ってアジアの植民地

の人々を勇気づけた日本」を語る安倍談話に差し替えた。

朝日は怒り、ソ連派も中国派も米国派も一致団結して安倍退治に乗り出した。

本田雅和が「NHK番組改変」の嘘を書き、星浩が戦時の性奴隷を追及したがブーメラン効果というか逆に社長の木村伊量の首が飛んだ。

大阪社会部がモリカケ疑惑を捏造したが、これも朝日に撥ね返って140億円の経常赤字を出した。

空しく「安倍死ね」の罵詈を浴びせていたら、それに乗った狂気が飛び出した。

どうせ先もない。殺人教唆でパクられる前に廃刊したらどうだ。

（二〇二二年八月四日号）

朝日が忖度する「特定の人」

サル痘が流行りだし、日付で言うと7月23日、世界保健機関（WHO）のテドロス事務局長が「国際的に懸念される公衆衛生上の緊急事態」を宣言した。

今や世界的パンデミックになった武漢コロナが出たときは「そう大して心配はいらない」と偉そうに言った当の人だ。

習近平に札びらで頰っぺたを叩かれた事情があるにせよ、あのときは悠揚迫らなかったのに今回は血相を変えていた。

これは大変な病が飛び出したに違いないとみんなは本気で恐れた。そしたらWHOの専門家会議が緊急事態かどうか再検討すると言い出した。

何だ、テドロスの早とちりかと思ったら、カリフォルニア州が独自に緊急事態を宣言し、米疾病予防管理センター（CDC）も動き出した。

そのころ日本でも第1号患者が出て、各紙がサル痘を書き始めたが、読んでもどんな病気なのか、世界がなぜ騒ぐのか、さっぱり見えてこない。

例えば朝日新聞は「第1号患者は欧州で感染者と接触して帰国後に発病した」と経緯を説明する。

コロナの第1号患者に経緯は似る。あの時は武漢帰りの中国人だったが、朝日は国籍を隠した。今回も国籍は明かさない。

どんな病気かは「狂犬病と同じカテゴリー」で「患者の体液や血液から感染する」と続く。連想するに患者は人に噛みついて感染させているようにも思える。

でも「感染者の多くは軽症で回復している」し、別の記事では「患者への偏見を持たないよう配慮」がいるともある。

テレビでも同じ。テドロス発言から1週間後のテレ朝のニュース番組で、真実とは常に無縁の池上彰が「罹っても軽い」「すぐ治る」から心配するなと言う。

緊急事態なのか心配無用なのか。日本の報道では分からないからブルームバーグ通信でテドロス発言を確認してみた。

要点は「この感染症は特定の人たちに特定の対策を施せば封じ込められる」。

特定の人たちとは「男性と性交する男性」か「不特定の同性又は異性と性交する男性」のことだ。

平たく言えば第2のＨＩＶだ。ニューヨークでこの病に効く天然痘ワクチン投与が始まったが、行列して投与を待つ人たちは男性ばかりだった。

サル痘はもともと猿の病だからこの名がある。記録ではヒトへの感染はＨＩＶより古く、１９７０年にザイールで発見されたが、長い間、現地の風土病として扱われてきた。

ところが数年前に米国で感染例が見つかり、現在までにもう50種もの変異株が見つかった。

それが目下、急速に世界に感染を広げている。

世界でもう2万２０００人が感染、その4分の1を米国が占めている。

幸い有効なワクチンがあったものの、朝日の書き方では、どういう人がどう恐れなければならないかが見えてこない。

朝日の気持ちを忖度すれば、ＬＧＢＴのＧの人たちを名指しすれば「世間の偏見を煽った」と訴えられる。それを恐れたか。

ゲイの人たちに「弱者の味方だと思ったのに裏切られた」「曝し者にされた」と非難されるのがコワかったたか。

ゲイに忖度する朝日は同じころ、社会面に「真実を知りたい」の見出しの付いた記事を載せた。

森友事件で自殺した財務局職員の妻が夫の上司を訴えた訴訟が結審しましたという話だ。

ベタでも勿体ない些末なネタなのにこんな見出しまで付けたのは凶弾に斃《たお》れた安倍元首相の追悼ムードに「水をぶっかけたい」の一心からだろう。

森友疑惑とは慰安婦の嘘を暴き朝日を三流紙に落とした元首相への恨みから朝日が捏造したものだ。

大体この事件では死んだ夫は「不正な値引きも忖度もない」と言っている。

自殺に追い込まれたのも朝日に便乗して夫を虐め抜いた野党議員のせいだ。

こんなところで「真実」を云々するより、まずゲイのために真実を報道してみる勇気をもつことだ。


（二〇二二年八月十一日・十八日号）

世界がようやく見つけた日本人の顔

日航機の御巣鷹山事故があったとき、テヘラン行きの飛行機に乗っていた。まだイラン・イラク戦争の最中で、戦争特派員として駐在するためだった。着いて最初にバザールを訪ねてみた。

鍋釜やシャンプーを買うためだが、行ってみてその臭いのひどさに閉口した。まず香料がすごい。食品も衣料も何でもサフランやクローブが匂い立っていた。イラン人の体臭もきつかった。オレは清潔漢だという助手も風呂は2週間に1度入るだけだから、みな3日目の靴下並みに臭った。

それに硝煙の臭いも混じる。毎晩、イラク機が飛んできて爆弾を落とす。昨夜もこの近くに250キロ爆弾が落ちたという。

そんな臭気に辟易していたら売り子が「ショマ、シネ、コリエ」と言う。お前は中国人か朝鮮人かという意味だ。「ナー、ジャポネ」と答えた。日本人だと。

「えっ」と周りが驚きの声を出してこちらを見る。

驚きに些かの崇敬の念も感じられる視線で、その理由を助手が話してくれた。

それはパーレビ皇帝の皇太子時代に遡る。エジプト王女フォージュとの結婚式に日本機がはるばる祝賀に飛んできたのだ。

当時、イランは英ソに脅かされ、実際、その翌々年に分断占領されてしまう。

そんなとき日本機が来た。かつてソ連ことロシアを叩きのめし、今も白人列強に屈せず頑張っている。

国王は日本機に祝賀飛行への参加を求め、その雄姿は多くの人の記憶に残った。

そして開戦。あの日本機と同型の96式陸攻機が英戦艦プリンス・オブ・ウェールズを沈めた。

イラン国民は今一度、祝賀飛行を舞った日本機の姿を思い出していた。

戦後、パーレビ皇帝は工業化の指針として「アジアの西の日本たれ」と言った。

「日本人」と聞いて、そんな昔話を思い出したのだろうが、ただ、目の前にいる小柄で髭も薄いアジア人とどうもイメージは馴染まない風だった。

似たようなことはシリアの外れのチャイハナに行ったときにもあった。

日本人だと言うと彼らは顎を突き出してチッと舌打ちした。もろ否定する仕草で「お前は日本人なんかじゃない」と言っている。

彼らの意見をまとめると日本は、アメリカ大陸近くに位置する工業国家で、「大きな白人」のイメージなのだという。

そんな印象の根っこは日露戦争の時代にまで遡る。

中東研究家でチャーチルの信任が篤かったガートルード・ベルは『シリア縦断紀行』の中で「夜、荷駄の世話をするベドウインの若者たちが集まっては、いま戦われている日露戦争について熱っぽく語り合っていた」と記している。

メッカへの巡礼が行き来するイスラム世界では情報は予想以上に早く伝わる。

ベル女史はその若者たちの話の輪に加わり、日本には日露戦争前夜の1903年を含めて2度訪ねたことがあると言ったら、彼らから日本について根掘り葉掘り聞かれたとある。

「顔つきまでは想像できなかったようだけれど聡明で、逞しく、正義感の強い日本人像が勝手に作られていった風だった」と。

英領ビルマ時代、日露戦争の記録映画を見たラングーン大名誉教授タン・タットは「日本人がものすごい巨人に見えた」という。

だから先の戦争でビルマに進駐してきた日本軍が「小柄なのに驚いた」と。

日本人はロシアを倒した。鋼鉄の戦艦も燃やす火薬を発明し、世界一強い戦闘機も生み出した。

強いだけでなく人種平等を説き、人類を苦しめたペスト禍も解決した。集積回路を発明し、ディーゼルもクオーツも小型化して世界を豊かにした。

日本人はいつも大活躍してきた。そんな日本人がどんな顔をしているのかは案外と知られていない。

安倍元首相が倒れたとき、アバダンで同首相の顔がビルの壁面に映し出された。タイム誌が同じ顔を表紙に置き、それを見てタリバンが弔辞を寄せてきた。

世界を引っ張ってきた日本人に相応しい顔を世界はやっと見つけたようだ。

（二〇二二年八月二十五日号）

新聞記者の給料は誰が決めるのか

産経新聞と朝日新聞と毛沢東中国の関係はジャンケンのグーチョキパーに似る。

朝日は中国には頭が上がらない。飼い犬のように媚び、諂《へつら》ってきた。

2000万人が死んだ文革も秋岡家栄特派員はとてもいいことのように書いた。ナンバー2の林彪が逃亡途中に墜落死したときも秋岡は「まだ生きています」と毛の意に沿って1年以上も生かし続けた。

なぜこんな誤報もどきを書き続けたのか。それは秋岡に社長の広岡知男が「中国に都合の悪いことは書くな」と命じたことに由来する。

以来、この言葉は朝日の社是となった。例えば加計疑惑で元愛媛県知事の加戸守行の証言は朝日の言う疑惑をもろ打ち消していた。都合が悪いから1行も書かなかった。

中国は尽す朝日を評価し、秋岡には人民日報日本代表のポストをやった。

その他の朝日特派員にも働きに応じて現地で女を与えたり、政府誌「人民中国」の日本版編集長のポストを与えたりした。

産経新聞は中国に媚びなかった。文革の狂気を柴田穂特派員は壁新聞から読み取って報じた。北京は怒って柴田を追放し、支局も閉鎖した。

しかしそれは逆に産経を怒らせた。台湾を通じるなど様々なルートから中国の隠しごとをどしどし暴いていった。中国は折れて産経にまた北京支局を開いてくださいと頼んできた。1998年のことだ。

中国はこれで産経も少しは手心を加えてくれると思ったが、産経は中国の人心も長江の流れももっと汚れていたと報じた。頭にきた楊潔篪は産経の特派員にビザを出すのをやめ、支局閉鎖に追い込む姑息を目下やっている。

中国は朝日には勝てるが産経には勝てない。

では産経と朝日はというと、紙面では産経が朝日の捏造報道を暴き、歴代社長の首を幾つか取ってはいるが、部数や給与は産経が圧倒的に低い。

産経の記者はどんどん引き抜かれ、産経の弱体化は進んでいる。朝日がパーで産経がグーなのだ。

この勝負で朝日に加担しているのが、実は電通なのだ。電通はただの広告屋ではない。新聞局というのがあって新聞に出す広告を一手に仕切っている。

同じ広告でも朝日には5段、読売はその半分、産経はそのまた半分とか。

各社記者の給料は電通が決めているようなもので、だから新聞としては最悪の朝日でも絶対に潰れることはない。

例えば日本がサッカーW杯を誘致したとき。それを仕切った電通が「どうだろう日韓共催では」と言った。高橋治之と鄭夢準の仕切りと言われるが、誰もあんな国との共催など真っ平御免だった。

すると朝日が日韓共催万歳を社説に掲げ、一方で慰安婦の嘘を繰り出して「共催はいい贖罪になる」と説いた。

そこまでやるのは日ごろ広告で電通に色を付けてもらっているからだ。電通には足を向けて寝られない。

かくてW杯は共催になったが、韓国にはやはり荷が重かった。彼らは審判を買収し、対イタリア戦ではマルディーニの頭を蹴っても無罪にし、トッティにはレッドカードを出させて韓国が勝ち進むという悪夢のW杯を演出した。

「『韓国、決勝届かず』20年前の今日、朝日新聞の朝刊（東京本社版）は、1面トップでこう伝えた」（箱田哲也記者）と先日のコラムにあった。

「あんなズルをしても優勝できなかったんだ」と嗤っているのではない。韓国が4強になったのを「快挙」と言い、「あれを境にやればできるという自信が韓国にみなぎった」という。しかし実際はあの後ホワイト国を利用した犯罪がばれた。「やればできる」を勘違いしているのは確かだ。

それにしても電通がこうと言えば、新聞は否も応もなく従い、朝日などは20年後でもまだ尻尾をふっている。

その騒ぎの中心にいた高橋治之がいま、司直の手に落ち、先の東京五輪にメスが入った。一度騒がれたときは竹田宮が責任を取らされたが電通を怪しむ声はあった。

それを新聞局が黙らせたという話も頷ける。

新聞がみんな朝日みたいに歪む前に電通の新聞局の傲慢を糺し、産経にも広告を出させるようにしたい。

（二〇二二年九月一日号）

神奈川は放火天国か

神奈川・大磯の城山公園の一角に旧吉田邸がある。

庭先からは市街地越しに相模湾が望めた。

三木武夫がそこを訪ねたとき、吉田は眺めのいい庭先にいて笑いながら三木を手招きした。

「ほら、悪党の家が燃えている」と平塚市街の方を指差した。

そこには河野一郎の二階建ての屋敷があって、紅蓮の炎に包まれていた。

その1時間前、民族派の野村秋介が河野邸を訪れていた。

河野は不在で、野村は家人を退去させてから家に火を放った。家人の中に生後6カ月の河野太郎がいた。

野村は罪に服したあと今度は朝日新聞社長室に行って慰安婦の嘘ばかり並べる中江利忠を厳しく説教してから拳銃自殺した。

野村は河野邸の放火で吉田茂が大喜びしたことは最後まで知らなかった。

吉田は「インドネシアのスカルノと韓国の李承晩と河野一郎の三人を蛇蝎のように嫌った」と堤堯『昭和の三傑』にある。

3人ともカネに汚い。吉田はそれを最も嫌った。

「私のように親の財産を使って家を建てれば頼んでも放火はされない」と後に言っている。「親」とは、元福井藩士の吉田健三のこと。ジャーディン・マセソン横浜支店長を振り出しに実業界入りし、フランネル輸入などで大きな成功を収めた。

吉田茂は健三に所望された養子で、40歳で急逝した養父は城山に建てた広大な屋敷と、当時のカネで50万円の財産を残した。

屋敷は昭和30年代に吉田茂が自費で一部を数寄屋風に建て直している。

やましさの一片もない吉田邸なのに、2009年3月22日の朝、何者かによって放火された。

吉田の没後も大平首相とカーター大統領の日米首脳会談の場にもなった総檜造りの屋敷は火の付け所がよかったのか、全焼した。

実は貴重な文化財の放火はその1週間前にもあった。横浜市戸塚区の旧住友家俣野別邸で、同じ時刻に放火され、全焼していた。

俣野別邸は昭和初期に建てられた西洋館で、04年に重文に指定され、一般公開に向けて補修中だった。

現場は高さ3メートルのフェンスがめぐらされ、侵入防止用の赤外線センサーも置かれていたが、犯人はその電源を事前に落としていた。

ここまで警戒していたのは前年の08年1月、県の重文指定を受け、一般公開用の整備をしていた藤沢市大鋸のモーガン邸が放火され、全焼していたからだ。

モーガンは東京駅前の旧丸ビルや郵船ビルを設計した米人建築家で、被害に遭った建物はモーガンが和のよさを取り入れた和風西洋館の私邸だった。

そういう前例があったから保野別邸の補修工事は高い塀で囲み、赤外線センサーを置いた。

放火犯はそれを事前に知っていたのだ。

吉田邸も実は保野別邸やモーガン邸と同じように県の重文指定を受け、一般公開のために公費による補修が行われていた。

つまり3件とも国もしくは県の重文指定を受け、一般公開のために公費を使って補修中だった。

放火犯は内部事情にやたら通じている。犯行は3件とも夜明けごろで、現場にはバイクで乗り付けている。その線から様々な噂が出てきた。

例えば県の文化財保護に関わる部局で「大財閥が人民から搾取したカネで建てた建物にど

れほど意味があるのか」みたいな論議が裏で出ていた。

吉田茂が「私は河野一郎とは違う」と言ったことは軽薄な文化財系の人たちは知らなかったみたいで、吉田邸も一緒に燃やされてしまった。

その辺から「金持ちの趣味を保存するために県民の血税を使うべきでない」と信ずる県庁関係者がホシでは、という声もあった。

ただ問題はそこまで犯人像が絞られながら、神奈川県警は動かなかった。

ここはオウムが坂本弁護士一家を殺しバッジまで残していったのに放置した過去がある。

今回も何もしないまま放火事件は時効を迎えた。

サンマが目黒なら「火付け、殺しは神奈川がいい」なんて言われていいのか。


（二〇二一年九月八日号）

*初出「週刊新潮」二〇二一年十一月〜二〇二二年九月

髙山正之　Takayama Masayuki

1942年生まれ。ジャーナリスト。1965年、東京都立大学卒業後、産経新聞社入社。社会部デスクを経て、テヘラン、ロサンゼルス各支局長。98年より3年間、産経新聞夕刊１面にて時事コラム「異見自在」を担当し、その辛口ぶりが評判となる。2001年から07年まで帝京大学教授。著書に変見自在シリーズ『サダム・フセインは偉かった』『スーチー女史は善人か』『ジョージ・ブッシュが日本を救った』『オバマ大統領は黒人か』『偉人リンカーンは奴隷好き』『サンデルよ、「正義」を教えよう』『日本よ、カダフィ大佐に学べ』『マッカーサーは慰安婦がお好き』『ロシアとアメリカ、どちらが本当の悪《ワル》か』『習近平と朝日、どちらが本当の反日か』『朝日は今日も腹黒い』『トランプ、ウソつかない』『習近平は日本語で脅す』『韓国への絶縁状』『中国は2020年で終わる』『コロナが教えてくれた大悪党』『中国への断交宣言』『バイデンは赤い』『新聞は偉そうに嘘をつく』（いずれも新潮社）『日本人よ強かになれ』（ワック）など多数。

変見自在《へんけんじざい》　安倍晋三《あべしんぞう》を葬《ほうむ》ったのは誰《だれ》か

著　者　髙山正之《たかやままさゆき》
発　行　2023年12月15日

発行者　佐藤隆信
発行所　株式会社新潮社　〒162-8711　東京都新宿区矢来町71
電話　編集部　03-3266-5611
読者係　03-3266-5111
https://www.shinchosha.co.jp
装　幀　新潮社装幀室
組　版　新潮社デジタル編集支援室
印刷所　株式会社光邦
製本所　大口製本印刷株式会社

ISBN978-4-10-305890-8 C0095
価格はカバーに表示してあります。

韓国への絶縁状
変見自在セレクション
高山正之

変見自在
中国は２０２０年で終わる
高山正之

変見自在
コロナが教えてくれた大悪党
高山正之

中国への断交宣言
変見自在セレクション
高山正之

変見自在
バイデンは赤い
高山正之

新聞は偉そうに嘘をつく
変見自在セレクション
高山正之

レーダー照射事件の「逆ギレ」、徴用工裁判の「タカり」、天皇謝罪要求の「驕り」……今こそ迷惑な隣人にお別れを！　シリーズ厳選30本で分かる「あの国」の真実。

あのソ連も潰れた「共産党国家72年説」。いよいよその節目を迎える傍若無人国家に、もはや明日はない。ウソを見破り正しい歴史を学び、世の真実を見極める一冊。

ウイルスをばらまき厚顔無恥な隣国、国内感染第一号を日本人に仕立てる大新聞、非道国家と組んで私腹を肥やす米新大統領――。厄災が炙り出した悪いヤツらを一刀両断！

中国が平気で嘘をつき、傲慢でとにかく迷惑な国であることは、歴史が教えてくれる。大人気シリーズから厳選した30本でよーく分かる、「迷惑な隣国」の正体。

笑顔の裏に隠された「正義の仮面」に気をつけろ！　人間の本質は簡単には変わらない。世に蔓延るウソを一刀両断！　本書を読めば、世の中の正しい見方が分かります。

政治家の揚げ足を取ったり、外国紙を翻訳する新聞に真実は載らない。錦の御旗に掲げる「権力監視」の欺瞞を30本の厳選コラムで炙り出し、正しい記事の読み方を伝授!!